GUERRA DE ALTO NIVEL

Dra. Ana Méndez Ferrell

ANA MÉNDEZ FERRELL INC.

GUERRA DE ALTO NIVEL

Dra. Ana Méndez Ferrell

ANA MENDEZ FERRELL INC.

Guerra de Alto Nivel 2012
© Ana Méndez Ferrell
9ª Impresión Revisada y Aumentada

Todas las referencias bíblicas han sido extraídas de la traducción Reina Valera, Revisión 1960.

Categoría: Guerra Espiritual

Publicado por: Ana Méndez Ferrell, Inc.
                P. O. Box 141
                Ponte Vedra, Florida, 32004-0141
                Estados Unidos

Impreso en: Estados Unidos

www.AnaMendezFerrell.com

ISBN: 978-1-933163-30-7

DEDICATORIA

Dedico este libro, primero, a mi Padre celestial, a Jesucristo y al Espíritu Santo. Segundo, a mis padres espirituales en la tierra, el Dr. Morris Cerullo y su esposa Teresa, quienes me dieron a luz en el ministerio de guerra espiritual, me adiestraron y me ungieron para que Dios desarrollara en mí lo que ahora soy.

A mi equipo cercano de combate, quienes han dado su vida a mi lado, en las más poderosas batallas que hemos peleado: Flory González, Liliana Torres, Mary Corona y mi esposo Emerson Ferrell.

COMENTARIO

L a Iglesia está siendo llamada a la guerra en niveles raramente experimentados en sus dos mil años de historia. Sin embargo, un movimiento vociferante antiguerra también se está levantando, proclamando que Jesucristo no nos ha dado verídicamente toda la autoridad en contra del enemigo. No conozco a nadie totalmente calificado para dirigirse a esta situación como Ana Méndez Ferrell.

Por una acertada profundidad en la Biblia, moldeada por intensas experiencias personales en el mundo invisible, tanto de las tinieblas como de la luz, Ana nos muestra claramente, el camino por el que debemos andar.

Éste es un libro esencial para todo obrero cristiano de seriedad.

Dr. C. Peter Wagner
Canciller de "The Wagner Leadership Institute"

ÍNDICE

Introducción

"Yo mandé a mis consagrados, y asimismo llamé a los valientes de mi ira, a los que se alegran con mi gloria. Estruendo de multitud en los montes, como de mucho pueblo; estruendo de ruido de reinos, de naciones reunidas: "¡Jehová de los ejércitos pasa revista a sus tropas para la batalla!"

Isaías 13.3, 4

D ios está haciendo un poderoso reclutamiento de sus tropas, para pelear las batallas que libertarán las naciones del yugo del diablo. Por esta causa, está llevando a su iglesia a un entendimiento claro de lo que es la guerra espiritual en las regiones celestes.

Para poder pelear a estos niveles, es necesario entender fundamentos y principios que nos permitirán salir ilesos del combate.

Escribo este libro, basándome en una profunda

revelación y una vasta carrera en el ámbito de guerra espiritual. Creo que no sólo la teología es necesaria, sino la experiencia de pioneros que han pagado el precio y que nos otorgan una base sólida para salir victoriosos del combate. Es mi parecer, que los capacitados para traer luz de los peligros, de los errores y de las grandes estrategias de guerra, son los que la han llevado a cabo y han vencido.

En todos los grandes movimientos del Espíritu Santo, el diablo siempre ha levantado opositores que son los que no han experimentado la revelación profunda de lo que Dios está haciendo, pero que tienen "una fuerte opinión".

El rey Saúl tenía "una fuerte opinión" de cómo vencer a Goliat con su pesada armadura, pero la verdadera sabiduría y la unción para hacerlo, la tenía el pequeño David. Esta misma circunstancia la encontramos hoy en día cuando se habla de guerra espiritual. Muchos que nunca han peleado una guerra tienen también una "una fuerte opinión" de lo que se tiene y no se tiene que hacer.

Por esta razón, creo prudente, a través de estas líneas, traer una enseñanza en la guerra de alto nivel en las regiones celestes, que imparta seguridad y valor para llevarla a cabo.

Es posible salir victorioso y sin represalias devastadoras del enemigo, pero hay reglas de milicia que tenemos que entender y observar. En estas páginas, usted encontrará revelaciones de las que no se oyen comúnmente en el cuerpo de Cristo; fruto de una vida inmersa en Dios para poder deshacer las obras del diablo. Encontrará, también, la meditación de errores cometidos, que como pioneros, fue necesario experimentar para poder adiestrar con conocimiento de causa al ejército de Dios. Hallará profundas reflexiones de guerra, que sólo se consiguen tras innumerables combates y victorias.

Creo que Dios ha inspirado este libro para traer luz a muchas preguntas de guerreros valiosos, que los libros teóricos no pueden contestar.

Preguntas válidas que surgen de escuchar las voces de confusión que el diablo desencadena para desalentar a los verdaderos guerreros.

¡Que Dios ilumine su entendimiento al leer estas líneas y lo inspiren para alistarse en la armada terrenal del Dios viviente!

CAPÍTULO

El Ejército de Dios paralizado por el Temor

"porque no nos ha dado Dios espíritu de cobardía, sino de poder, de amor y de dominio propio".   **2 Timoteo 1.7**

Desde principios de los noventa, empezamos a ver un desarrollo creciente en la revelación y en el entendimiento de la guerra espiritual. Dios empezó a quitar velos de la Escritura y varios profetas comenzaron a entender principios del mundo espiritual, su conformación y la estructura de los poderes demoníacos en ese ámbito.

También, el Señor trajo sabiduría de cómo derribar fortalezas en las regiones celestes, a fin de traer una apertura de los cielos que transformaría ciudades y naciones. Todo esto dio a luz a un poderoso ejército alrededor del mundo, que ha comenzado a conmover las regiones de tinieblas, trayendo tremendos avances para el

Reino de Dios. Yo formo parte de esa armada, y por la gracia de Dios, Él me ha puesto como una de sus generales. Es gracias al indescriptible poder de Dios, que he podido vencer en gloriosas batallas y en varios de los lugares más oscuros de la tierra. Hemos peleado un sinnúmero de guerras en las regiones celestes contra poderosos espíritus territoriales, trayendo libertad a millones de personas que se encontraban sin esperanza bajo los terribles yugos del diablo. Hemos visto asombrosos avivamientos en lugares donde había sido prácticamente imposible penetrar con el evangelio. Lugares sentenciados a ser cementerios de pastores, donde las fuerzas ocultas del enemigo tenían a la iglesia en un estado letárgico y casi ya sin aliento.

En la gran mayoría de las naciones gobernadas por extremados poderes demoníacos, las iglesias no saben defenderse contra los embates del diablo. El enemigo las despedaza en la forma más cruenta, mientras millones de personas son arrastradas al infierno todos los días.

En su infinita misericordia, Dios empezó a levantar un ejército de gente valiente, comprometida con Él hasta la muerte, que se ha atrevido a hacerle frente a las fuerzas del mal, para que el evangelio pueda penetrar y salvar a los millares de almas perdidas. Al ver los poderosos resultados de guerras genuinas dirigidas por Dios a través de verdaderos profetas, muchos fueron inspirados a seguir nuestros pasos. Unos lo lograron con gran éxito, y otros, desgraciadamente, fueron víctimas de graves infortunios. La razón de esto, es que no todo cristiano es llamado a las primeras filas de batalla, y otros, que sí lo son, no han sabido hacer las cosas en la forma correcta para mantenerse a salvo de los ataques del diablo. También, ha habido hermanos que arraigados en sus propias emociones, pero fuera de todo orden de autoridad, se han lanzado incautamente contra poderes territoriales saliendo muy mal parados de la batalla.

El resultado de estas iniciativas de combate en ignorancia, ha causado contraataques del diablo, que ocasionaron más desastres que bendiciones. Pero la mayor desgracia de todas, es que el enemigo ha usado los errores de esta gente para desatar sobre la iglesia una poderosa ola de miedo contra la guerra espiritual. De esta manera, su estrategia es tratar de paralizar al verdadero ejército de Dios, e impedir que se siga avanzando el evangelio y libertando naciones.

Desgraciadamente, varios profetas, pastores y líderes, bombardeados por las consecuencias que han producido toda esta gente ignorante, están cerrando sus puertas al levantamiento del ejército de Dios. Esto es muy comprensible. Pero la confusión, la ignorancia y el miedo no provienen de Dios sino del diablo, que tiene su plan bien fraguado para él ganar la batalla. Hordas de pastores se están levantando para que no sean destruidas las fortalezas del diablo en el segundo cielo. Lo que no quieren es detenerse a pensar, que la guerra no cesa porque el ejército de Dios sea detenido. El diablo no se va a cruzar de brazos ni va a ignorar a la iglesia porque ésta no quiera pelear. ¿Qué no hemos oído mil veces que él viene a robar a matar y a destruir? Es mucho más fácil despojar una casa donde no hay gente armada, donde los muros están sin guerreros, que una casa llena de poderosas armas, escudos y ejércitos.

Bajo el paraguas de "es mejor ser prudentes y conservadores" (en lo cual creo profundamente), el diablo ha infiltrado poderosos espíritus de terror, que están paralizando y disolviendo la armada de Dios. Si esta ola está siendo desatada, es porque el enemigo ha sufrido daños irreparables, y tiene que pararnos de alguna manera.

Nuevas teologías están surgiendo en muchos lugares, diciéndole al pueblo de Dios que el Señor no nos ha dado el poder para pelear contra principados y potestades en los lugares celestiales, amenazando que si lo hacen, serán víctimas de tremendas tragedias.

La teología debe estar basada en la palabra de Dios y no en las malas experiencias de gente movida por ignorancia y en desorden.

Dios me ha dado la gracia de poder viajar a una gran cantidad de naciones en toda la tierra y oír las voces de muchos maravillosos intercesores que Dios quiere usar para deshacer las obras del diablo y para establecer su Reino en las naciones. Desgraciadamente, los rumores y los libros escritos sobre estas teologías que infunden miedo, los tienen confundidos y amedrentados. La gloria de Dios no se está llevando a las regiones menos evangelizadas de la tierra porque el ejército de Dios está paralizado, bajo el temor de sufrir tragedias e infortunios si hacen la guerra. No está avanzando el alcance de la gran cosecha ni dichas doctrinas están trayendo el Reino de Dios a los lugares más oscuros del planeta.

Es muy fácil decirle a las personas: "No hagas guerra espiritual" en los lugares que han sido evangelizados por siglos. Pero, mientras cantamos "aleluya" en nuestros lindos templos, hay personas despedazadas por las fortalezas del diablo en África, en Latino América, en Asia, donde los hermanos son destruidos por espíritus territoriales poderosísimos de brujería, y lo único que oyen es: "no hagas guerra". Viven sin esperanza, sin poder y a la merced de lo que el diablo quiera hacer.

He oído pastores venir a mí, diciéndome: "mi iglesia es muy pequeña y estamos en un territorio lleno de brujos. Los espíritus malignos se meten a mi casa y a mi hijo lo levantan y lo azotan contra las paredes. Él es un niño entregado a Dios y no sabemos cómo defendernos". He visto iglesias establecidas en medio de líneas de poder (líneas ley) donde los espíritus territoriales los hacen pedazos. Se llenan de enfermedades, de adulterios y de inmundicias porque nunca supieron cómo hacerle frente al diablo.

En una ocasión, me llamaron de una iglesia poderosa en Colorado Springs y me dijeron: "estamos invadidos de muerte, se está muriendo un anciano tras otro y hay visiones y sueños donde ven al pastor principal muerto y no sabemos qué hacer".

La iglesia estaba construida sobre un antiguo cementerio indio, y los espíritus territoriales demandaban vidas por haberse profanado su santuario. Si no hubiésemos peleado en las regiones celestes contra ese principado territorial, hoy ese pastor estaría muerto.

En otra ocasión tuvimos una experiencia en Uganda que me llenó de ira divina y fue la gota que derramó el vaso para escribir este libro. Llegamos a la ciudad de Masaka, la cual estaba bajo el control de un hechicero que dominaba la ciudad desde una montaña aledaña.

Al encontrarnos con el pastor que nos invitó vimos que algo andaba muy mal. Su rostro estaba demacrado y en su voz se denotaba un terrible agobio. Nos empezó a contar cómo el brujo junto con su gente, estaban matando un hermano de la iglesia al mes. "Estamos desesperados y aterrados", nos dijo con lágrimas en los ojos, "no sabemos qué hacer y sufrimos pensando quien será la próxima víctima".

Luego añadió, mientras nos mostraba un popular libro escrito por un profeta de nuestro tiempo: "Lo peor es que no tenemos ya esperanza, nos han enseñado que es muy peligroso hacer guerra espiritual y nos mandaron este libro sobre las desgracias que suceden a los guerreros que la intentan. Usted, ¿qué piensa hermana? ¿Tenemos que dejarnos morir sin hacer nada? ¿Es cierto que no tenemos autoridad en las regiones celestes?"

"Por supuesto que la tenemos", contesté furiosa e indignada por semejantes doctrinas. "Vamos a ponerle fin a este asunto, nuestro equipo se va a enfrentar a ese hechicero y se va a enterar quien es el verdadero Dios".

Hicimos una poderosa guerra que concluyó en un encuentro como el de Elías y los sacerdotes de Baal en el monte Carmelo. Dios se manifestó poderosamente venciendo al brujo, y la mitad de su gente se convirtió a Cristo. El resultado de esa batalla acabó con las muertes y cambió la atmósfera espiritual de toda la ciudad. Se acabó la violencia en las calles y el gobierno reparó y embelleció la ciudad.

El desmayo espiritual, el temor de hacer guerra estratégica, bajo la amenaza de recibir contraataques de tragedias, la confusión de los guerreros y las armas en el suelo, no es el fruto de una doctrina que provenga de Dios. Por otro lado, y en esto me regocijo, dichas doctrinas están alejando del frente de batalla a aquellos que nunca debieron haber estado ahí. Y es mejor que éstos estén protegidos haciendo la parte que les corresponde como cuerpo de Cristo.

Esto no significa, desde luego, que el diablo no vaya a atacarlos, y mejor es para cualquier cristiano, que esté armado y en pleno conocimiento de las artimañas de su enemigo. Nadie está exento de un ataque desde el segundo cielo. Y cuando éste viene, no creo que alguien le pueda decir al diablo: "lo siento, pero no peleamos contra principados en el segundo cielo". Hermano, más le vale estar preparado, porque hasta ahora no somos nosotros los cristianos los que iniciamos el fuego de ataque. El diablo está en nuestros territorios disparando a diestra y a siniestra, destruyendo nuestras sociedades y arrastrando a millones al infierno (incluyendo a algunos de los que usted ama, si usted no los pelea), y esto, mucho antes de que ni siquiera empezáramos a hablar de guerra espiritual.

He sentido de Dios escribir este libro, no con el afán de atacar a nadie, sino de deshacer esa ola de confusión y miedo lanzada sobre el verdadero ejército de Dios. Mi anhelo es abrirle los ojos a la verdad que Dios quiere que usted escuche, y que sea devuelto el valor, el coraje y la auténtica unción de guerra a aquellos que están llamados a ser este ejército glorioso que pelea junto con Cristo.

Bendigo a aquellos, que con corazón bien intencionado han querido proteger al pueblo de Dios de errores innecesarios. Recordando siempre que: "nuestra lucha no es contra carne y sangre, sino contra principados, contra potestades, contra los gobernadores de este siglo, y contra huestes espirituales de maldad en las regiones celestes".

Éste es el testimonio de un general de Dios, que ha combatido contra principados, poderes y dominios de las tinieblas a un nivel muy alto, en las regiones celestes, y ha vencido sin tragedias de guerra.

Pretendo traer un análisis centrado y, a la vez, poderoso de lo que es la guerra espiritual en el segundo cielo, y cómo poder vencer en toda la autoridad de Cristo, evitando errores innecesarios. Este libro no está basado en vivencias ajenas, sino en una vasta experiencia y entendimiento del mundo espiritual, que por la gracia y el favor de Dios, me ha permitido llegar a conocer.

Mi oración profunda y sincera es que sea levantado, en valor, el ejército de Dios, y que combatamos en la sabiduría del Altísimo hasta que toda la tierra sea llena del conocimiento de la gloria de Dios.

CAPÍTULO

2

¿Quién es Ana Méndez?

"...Si puedes creer, al que cree todo le es posible".   Marcos 9.23

El testimonio de cómo Dios me rescató de ser sacerdotisa vudú para llamarme a su servicio.

Tenía dieciocho años cuando el mismo Señor Jesucristo se apareció en mi cuarto. Era de noche y el cielo estaba nublado, ya que era la temporada de lluvias. Estaba en mi recámara preparando un examen final cuando algo me sacó de la concentración de mis estudios. Empecé a sentir la impresión de que algo sumamente poderoso me atraía hacia la ventana. Me levanté con curiosidad para ver qué era aquella fuerza que me llamaba.

¡Cuán grande fue mi sorpresa al ver que en medio de aquellas nubes, refulgía una luz maravillosa! Era como una estrella gigantesca, algo que nunca en mi vida había visto. Me quedé unos momentos tratando de dilucidar qué podría ser aquello. Cuando de pronto, una luz intensísima se desprendió de la estrella y entró por la ventana, llenando mi cuarto con un fulgor deslumbrante. Caí como muerta al suelo, no podía levantar el rostro ni mover ninguna parte del cuerpo. De mis ojos, empezaron a brotar lágrimas incontenibles. Mi corazón no podía contenerse de estar ante lo que era un amor y una bondad indescriptible. Una extraña mezcla de sentimientos surgía en mi interior. Me sentía, a la vez, inmunda y diminuta, y por otro lado, la mujer más dichosa del universo.

De pronto dejé de ver lo que me rodeaba, me encontraba en un éxtasis maravilloso. No sabía qué estaba sucediendo, pero mis ojos veían al Señor Jesús en toda su majestad. Estaba sumergida en la sabiduría y en el amor de Dios. Mientras estaba allí, pude ver cómo todo el conocimiento coexistía y se revelaba; nada me era oculto.

El Señor hablaba y yo escribía torpemente en un papel. No sé cuantas horas pasaron. Poco a poco, la visión se iba desvaneciendo, y me encontré tirada en el suelo empapada de lágrimas y con un papel en la mano que decía: "Yo soy Jesucristo tu Señor, y he venido a decirte que en su tiempo, me daré a conocer a ti, porque serás mi sierva y vendré a ti a través de un hombre de ojos azules".

A partir de ese momento, quedé profundamente

enamorada de Jesús. Y empezó la búsqueda más desesperada por encontrarlo y servirlo. Para ese entonces, en México, donde crecí, no se oía hablar de una iglesia cristiana, por lo menos, en el mundo donde me movía. Yo fui educada como católica, así que el único lugar que se me ocurrió empezar mi búsqueda fue la institución romana.

Poco después de mi encuentro con Jesús, me fui a vivir a Francia en el año 1974. Ahí me dediqué a asistir a misa y a tomar la comunión todos los días. Así pasaron dos años, y nunca, ni la más mínima manifestación de su presencia, se dejó sentir.

Recuerdo el salir a los parques y decirle a las personas que era importante buscar a Jesús porque Él era nuestro Salvador. Fui insultada y humillada muchas veces, pero yo sabía que era la verdad y que el mundo lo tenía que saber. No tenía conocimiento de que había que leer la Biblia, ya que en los países latinos, por lo general, estaba prohibida por la iglesia católica y sólo los sacerdotes podían leerla.

La persecución de los parisinos que no me entendían, la frialdad y lo apagada de la iglesia romana, fueron apagando mi fuego hasta que un día decidí que ahí no estaba Jesús, por lo menos para mí. Y dejé de asistir a misa para buscar por otro lado. Así que, me interné en las religiones orientales. Allí, ellos hablaban de un "Avatar" llamado Jesús. Y yo quería encontrarlo donde quiera que Él estuviera. Tras otros dos años de meditaciones y yoga, me di cuenta que ese maravilloso Jesús, que me había visitado, tampoco estaba en esa filosofía.

Fue, entonces, que alguien me dijo que un encuentro así, sólo se podía conseguir a través de los iluminados, que eso era algo que muy pocas personas tenían el privilegio de conocer, y que si yo era escogida, ellos me podían ayudar. Me dieron los datos de un hombre que, aparentemente, tenía estas cualidades. Y así llegué con un poderoso ocultista, un brujo de alto nivel intelectual y tremendamente versado en conocimiento de las más profundas corrientes de lo oculto.

Su conversación me pareció fascinante. Hablaba de Dios, del universo, de los poderes mágicos y de mundos que me dejaban sin habla. Yo le hablé de mi búsqueda de Jesús y de su Reino, del anhelo de conocer un Jesús poderoso y sobrenatural y no ese Jesús muerto en una cruz que veía de continuo en los altares católicos. Él sonrió encantadoramente y me dijo que desde luego él era la persona indicada para ayudarme.

Tomó una Biblia y la abrió en Juan, capítulo tres, donde Jesús habla con Nicodemo acerca del nuevo nacimiento. Entonces me dijo: "Es necesario que nazcas de nuevo para que puedas entrar al reino de Dios, que es el reino de lo sobrenatural y de la magia. Para esto, tenemos que entregar tu espíritu a la muerte, ya que nadie puede nacer, si primero no ha muerto a las cosas banales y materiales de este mundo. Es por medio de entender los principios de la muerte, que se consigue penetrar en la vida maravillosa de Jesús". La Biblia abierta y la esperanza de encontrar a Jesús fueron suficientes para que mi ignorancia me hiciera caer en la trampa más terrible y diabólica de mi vida.

Planificamos, entonces, mi ceremonia de iniciación, la cual estaba en gran parte basada en los sacrificios de animales del libro de Levítico. Era necesario bañar al iniciado en sangre, la cual representaba, según él, la sangre de la expiación. Cuando llegué a la casa del hechicero, vestida con mis blancos atavíos ceremoniales, él me estaba esperando aderezado de un ropaje largo color negro con el cuello rojo. Su asistente también vestía en la misma tesitura.

En medio del salón, había una mesa larga cubierta con un manto negro y una vela en cada esquina. Una estatua de Santa Teresita, patrona de la muerte, se encontraba en una de las cabeceras. A un lado de la mesa, se erguía una chimenea preparada de antemano con los bastones y los govies (cazuelas de cerámica tapadas), donde moraban los espíritus ayudadores. Los bastones eran el medio como el espíritu de la muerte se comunicaba, según me explicó el brujo.

Al otro extremo de la mesa, había muchas estatuas de santos y vírgenes dispuestas, como si estuvieran observando la ceremonia. Esto no me causó ningún resquemor, ya que eran las mismas estatuas que yo veía en las iglesias romanas. Yo tenía conmigo tres doncellas que serían mis ayudantes y quienes me acompañarían durante la iniciación. El momento llegó, y una hermosísima sinfonía de Wagner se empezó a escuchar. Este tipo de música es parte de una seducción mágica. El lado oscuro del mundo espiritual no sólo tiene sonidos estridentes de rock and roll, sino música que fascina los sentidos, que levanta en una evocación de lo sublime todas las fibras del alma. Son estratagemas del diablo para hacer bajar la guardia y penetrar sutilmente para poseer el alma incauta. Había una expectación en el aire, algo poderoso que cautivaba y hacía anhelar seguir adelante.

El mago empezó a evocar las fuerzas espirituales que entrarían en acción. Y luego, tras una serie de conjuros, tomó pan y vino y me lo dio como el símbolo del pacto. Poco a poco empezó a transformarse; una presencia diferente era ahora la que hablaba a través de él. Siempre con una fascinación sutil y mágica.

Tomó, entonces, las aves de sacrificio, que habíamos llevado, dos gallos y dos palomas blancas. Con la sangre de los primeros, empezó a bañar las imágenes de los santos y las vírgenes, e invocaba sobre ellas los nombres de los dioses africanos que cada una representaba. Luego, degolló las palomas, y escurrió el líquido vital sobre mí. Esto precedió a que mis doncellas me quitaran la ropa en un cuarto aparte y me amortajaran a manera de momia para la ceremonia fúnebre. Una vez envuelta con los vendajes mortuorios, me cargaron y me pusieron sobre la mesa con el manto negro. Ésta representaba mi ataúd.

El brujo procedió a leer la liturgia católica de los muertos, invocó al espíritu de la muerte a que viniera sobre mí, y concluyó diciendo: ¡Ana Méndez, en paz descanse! Entonces apagó las luces y sólo quedaron encendidas las cuatro velas en torno de mi sepulcro. Y quedé yo sola en el cuarto con mis doncellas. Yo no podía moverme por causa de la mortaja. Estaba a la vez llena de temor y de una extraña emoción que jamás antes había sentido.

Por largo tiempo, sólo oíamos el tic tac del reloj. De pronto, sentí como una fuerza que se apoderaba de mí, y en un instante, me encontré fuera de mi cuerpo flotando en medio del salón. En ese momento, los bastones que estaban recargados en la chimenea se enderezaron solos y empezaron a golpear suavemente el piso como si fuera una marcha.

Yo miraba atónita desde arriba, cuando de pronto, una figura de humo negro con manos huesudas y extendidas empezó a salir de la imagen de Santa Teresita. Su rostro era cadavérico y su pelo largo y desgajado. Con sus puntiagudas uñas comenzó a abrirse camino en mi cuerpo que estaba sobre la mesa. Yo quería gritarle que no quería que hiciese eso, pero desde mi posición flotante, no podía hablar. En segundos, se introdujo en mí y dejé de verla. Luego, salieron otras figuras de la chimenea, su aspecto era como un humo verdoso muy pálido y también se metieron en mi cuerpo.

En ese instante, regresé a mi carne. Un poder fuertísimo se sentía en todas mis células. Me sentía como una batería cargada de alta tensión. El magnetismo que me llenaba atrajo los bastones, los cuales se pusieron en forma de cruz sobre mi pecho y unas garras de ave invisibles se apoderaron de mi cerebro. Una de mis doncellas pegó un grito profundo y prolongado diciendo: "Me están jalando el alma, me están llevando".

El hechicero entró súbitamente al salón y mientras su asistente tomaba cuidado de mi compañera, él procedió a dirigir el nuevo nacimiento. En forma simbólica, hizo la mímica de una partera jalando a un bebé fuera del vientre de su madre y así me sacó fuera de la mesa. Dijo entonces: "ahora has nacido de nuevo, has nacido a los poderes de la magia". Y procedió a bautizarme con mi nombre iniciático.

Salimos de aquella ceremonia, pero ya no era yo. Estaba ahora totalmente poseída por una fuerza que, a partir de ese día, conduciría mis pasos en el mundo de lo oculto. Terriblemente engañada, había quedado mi alma pactada con el diablo. Desde luego, nunca nadie te dice que con quien hiciste alianza fue con satanás. Ellos manejan la idea de una magia blanca e inofensiva y una magia negra, a la cual sólo los seguidores de Lucifer se meten ahí. "Nosotros, decía el mago, tenemos alianza con espíritus de luz, que vienen de estos hermosos santos y vírgenes, cuya misión es ayudarnos en nuestro caminar en la tierra". Poco a poco, me iría dando cuenta que no era así. Pero la frase que siempre resonaba en mis adentros era: "Una vez que entras a este camino, ya no hay salida".

Empecé a trabajar con el brujo, hacíamos trabajos de hechicería, fetiches, leíamos las cartas y enrolábamos en la brujería a cuanta gente podíamos.

Las voces de los espíritus que me poseían eran cada vez más claras. Eran muy poderosos, tenían la facultad de sanar enfermos, de hacer exorcismos, lo cual era falso, porque sacábamos un demonio de alguien y le metíamos otro, y la persona se iba feliz creyendo que había sido libre. Efectuaban venganzas terribles en aquellos que nos lo pedían.

En no mucho tiempo, el brujo se dio cuenta de mis fuertes habilidades mágicas y me invitó a formar parte de un triángulo de poder junto con otra bruja amiga nuestra. Las ceremonias se hicieron entonces más fuertes. Cada vez, hacíamos más sacrificios y con animales mayores. Las invocaciones y los demonios que nos fueron poseyendo eran cada vez de más y más alto poder.

Nos metíamos en los cementerios a la media noche, en

las noches de luna llena, y jalábamos con nosotros a los muertos para que fueran nuestros aliados. El acceso al mundo espiritual, las visitaciones de mensajeros disfrazados de ángeles de luz eran nuestro pan de todos los días. Y el poder que salía de mí (de mis demonios) era cada vez más impactante.

Mi personalidad se había transformado notablemente, mi corazón estaba lleno de odio por toda la gente. Me había convertido en una persona tremendamente violenta y tenía una fuerza física que sorprendía a cualquier hombre. Estaba llena de soberbia y desprecio hacia los demás. Había desarrollado una sed por matar. Nunca maté a nadie gracias a Dios. Pero me gozaba sacrificando animales. Para mí, se volvió una droga el sentir el poder que se soltaba de ellos en los estertores de la muerte.

A medida que crecía en conocimiento y era levantada en los diferentes grados del ocultismo, el diablo comenzó a manifestarse tal como era. Lo que al principio fueron visitaciones de un ser increíblemente hermoso, que venía a instruirme y a seducirme para ser su esposa, después se convirtió en el horrendo espanto de su verdadera fealdad. Su sutileza, al comienzo encantadora y fascinante, se transformó en una tiranía en la que tenía que obedecerlo a como diera lugar.

A la menor resistencia, era de inmediato atormentada por demonios que venían a azotarme. Mi casa se había embrujado por completo. Fantasmas entraban, salían y vivían de continuo ahí. Pasaba noches enteras aterrorizada por espíritus que tenían por asignatura torturarme hasta dejarme exhausta.

Por otro lado, me favorecía con fama, dinero e influyentes amistades. Pero empecé a notar algo que no encajaba con todo lo que satanás decía de sí mismo. Había ya hecho fuertes iniciaciones tomando el grado de sacerdotisa en la magia vudú así como en el Palo Mayombe. (Alto grado en la santería cubana). Esto me daba autoridad para acercarme a altas jerarquías satánicas, y aun al diablo mismo, y pedir lo que necesitara para mis trabajos de magia. Sin embargo, había cosas que por más sacrificios y ceremonias que hiciéramos, simplemente el diablo no las podía hacer.

Esto me empezó a suceder muy seguido. Me empecé a percatar que todo el poder del que se jactaba estaba limitado. Había lugares donde simplemente no podía entrar y gente a quién no podía tocar. Esto me llevó a enfurecerme grandemente en contra de él, porque en muchos casos era más el alarde de grandeza que hacía, que el verdadero poder que podía manifestar. Cuando finalmente se dio cuenta que yo sabía algo de él, que no me era permitido conocer, decidió matarme.

Una tarde, en que fuimos el hechicero y yo al mercado de brujos de México para adquirir algunos enseres necesarios para una ceremonia, me dijo: Quiero presentarte al "Patrono de los Miserables", es el nombre de la potestad que gobierna este lugar.

Nos metimos entre varios recovecos de aquel sitio de abastecimiento y llegamos a una parte donde había un nicho de cristal, pero estaba vacío. Con aire frustrado, soltó un suspiro y luego añadió: "Que pena, se lo han llevado a comer (Eso significa que le fueron a hacer sacrificios de sangre). Quería que lo vieras porque es muy impresionante. Es la figura de un niño, pero no tiene ojos. Tiene las cuencas vacías y sangre que se escurre de ellas sobre sus mejillas".

Salimos, entonces, del mercado y cuando llegamos donde teníamos estacionado el auto, el brujo empezó a gritarme: ¡Mira, mira, está allí al lado del auto, junto a ti! Yo no había visto nada junto al carro. Sin embargo, me giré otra vez para ver qué había, y me sorprendí bastante al ver que en el mismo lugar, junto a la portezuela, donde segundos antes no había nada, yacía un pordiosero tirado en el suelo. El brujo siguió levantando la voz con gran excitación: ¡Mira sus ojos, es él, es el patrono! ¡Escucha!, continuó, nos quiere decir algo.

Yo estaba paralizada de terror, pero no podía quitar mis ojos de él. Una voz salió de él, de espíritu a espíritu y dijo: "He venido a ustedes a reclamar lo que me pertenece" y entonces desapareció de nuestra vista.

Quedamos como mudos, los dos sabíamos que quería nuestras almas en el infierno, pero no nos atrevíamos a confesárnoslo el uno al otro. A partir de ese día, la muerte vino sobre nosotros, como algo que se había engarzado en nuestros hombros y todos los días nos repetía a cada uno: "Vengo por ti, es tu hora".

Durante todo ese año viví los ataques de muerte más horrendos. Primero, estando en El Salvador, donde vive parte de mi familia, caí con una tremenda pulmonía y tuvieron que hospitalizarme. Era el tiempo de la guerra en el Salvador y una noche bombardearon la ciudad y una bomba cayó junto al hospital.

Poco después, en Los Ángeles, California, dos hombres de color me asaltaron con pistola en mano, con intención de violarme y luego de asesinarme; pero sé que la mano de Dios intervino. Estos hombres me arrojaron a la calle después de una golpiza, pero la cosa no pasó de ahí. Dos meses más tarde, apresaron a los asaltantes y ya habían matado a siete personas en el mismo barrio.

Al poco tiempo, se incendió un tanque de gas en mi apartamento. Tuve que apagarlo con una cobija y con mi cuerpo mientras el diablo me gritaba: "Te vas a morir". Después, vino el terrible terremoto de la ciudad de México, de 8 grados en la escala de Richter, donde más de 300,000 personas perecieron. Mi apartamento estaba en zona de desastre, donde cientos de edificios quedaron aplastados.

Salí a tratar de rescatar a la gente que estaba aún con vida atrapada entre escombros, cuando el edificio explotó, y otra vez la mano de Dios hizo que mi cuerpo saliera expelido, pero que el fuego no me tocara.

La voz del diablo era cada vez más sonora y frecuente: "Vengo por ti, me perteneces, te vas a morir". La tensión era cada vez más fuerte. Mis nervios, más todos los demonios que vivían dentro de mí, me estaban destrozando. Mi salud empezó a flaquear en todo sentido, y fuertes crisis nerviosas empezaron a azotarme.

Decidí volar a Puerto Rico para descansar, cuando una tormenta torrencial derribó una montaña cerca de donde me encontraba, y otra vez me vi rodeada de muertos y gente aplastada por escombros. Ahí me vino una paraplejia parcial en el rostro, por mi estado psicológico y de tremenda tensión.

Ese año viví las formas de dolor más agudas. Llegué a entender que el alma se anestesia cuando el sufrimiento alcanza nuestro punto de ruptura, de desgarramiento interior. Y uso el término desgarramiento porque, literalmente, llegué a sentir garras que me despedazaban por dentro. Entonces, se entra en una especie de letargo, en el que ya no se siente nada por algún tiempo, hasta que el dolor vuelve otra vez y éste es mucho más fuerte.

El diablo me llevó a las cámaras más profundas del

infierno, donde vi las almas perdidas siendo azotadas y quemadas ante el gozo destructor de sus verdugos. En una ocasión, entré por uno de los túneles de la muerte y miles de seres, con huesos a flor de piel, descarnados, adefesios de rostros desencajados de la desesperación y la impotencia, trataban de retenerme en ese lugar de eterna oscuridad. Sé muy bien lo que significa la palabra tinieblas: cuando la vida no parece tener ni un rayo de esperanza, allí donde no hay escapatoria al agobio, a la soledad y la tristeza.

Regresé a México buscando que cesara ese tormento. Pero lejos de eso, me encontré en medio de un violento ataque, en el cual todos los demonios que vivían en mí se levantaron para matarme de una vez. Era una lucha feroz que se debatía en mi interior, hasta que no soporté más y atenté contra mi vida cortándome las venas.

Había perdido mucha sangre cuando llegó mi hermana gemela a mi departamento, y me llevó al hospital. Allí, en la sala de emergencias, estando entre la vida y la muerte, sucedió lo inesperado. Una presencia gloriosísima empezó a descender sobre mí, y en medio, una voz audible que me dijo: "Tu Padre en el cielo no te va a abandonar". Era la misma luz de aquella primera visitación en que Jesús vino a mí. Me llené de una paz inefable, y luego, por causa de los fuertes sedantes que me dieron, quedé inconsciente por unas cuarenta y ocho horas.

Desperté en un cuarto del sector de psiquiatría del hospital. Un edificio apartado, resguardado con rejas de seguridad, donde me encontré rodeada de una gran cantidad de enfermos mentales. Yo no era la excepción, era uno de ellos y en muy mal estado. Recuerdo que mi madre estaba al pie de la cama cuando abrí los ojos. Y lo primero que le dije fue: "Mamá, aquí va a haber una manifestación de Dios tan poderosa que va a cambiar la vida de todos nosotros". Mi madre, que era totalmente atea y seguidora de Nietzsche pensó que todo era parte de una alucinación, y no me hizo caso.

Tras de varios exámenes, el doctor determinó que mi caso era muy serio, y que lo más seguro es que me tuvieran que confinar por mucho tiempo, pero los planes de Dios eran otros. A los pocos días, llegó al hospital una querida tía mía llamada Gloria Capriles, que hacía años que no veía. Una dulce y hermosa mujer llena de amor y de compasión. Ella me dijo que había un hombre que había cambiado su vida y quería traerlo al hospital para que yo lo conociera. Yo le dije que sí, más por curiosidad que por fe.

Al día siguiente, se presentó acompañada de un pastor cristiano de ojos azules (Detalle de mi previa visión que para entonces, estaba enterrada en el abismo de mi locura). Mientras me presentaba el mensaje de salvación, yo lo escuchaba con atención y algo dentro de mí me decía que cada palabra que ese hombre hablaba era verdad.

Sin embargo, mi reacción fue llorar con profunda tristeza y le dije: "¡Qué cosa más terrible...! Me estás predicando la salvación de mi alma y sé que es verdad todo lo que estás diciendo, y pese a eso, no puedo correr a Jesús. Tengo pactos que no se pueden romper, y el intentarlo traería sobre mi vida toda la ira del diablo".

En ese momento de profundo desconsuelo, el ministro interrumpió diciendo: "¡Eso no es cierto! La palabra de Dios dice que: "El que confesare sus pecados, Él es fiel y justo para perdonar nuestros pecados y limpiarnos de toda maldad". ¡La sangre de Jesús rompe todo pacto! El Señor Jesús murió por ti para liberarte de las cadenas del diablo".

Esas palabras crearon un terremoto en mi interior. Sin lugar a dudas, el Espíritu Santo estaba allí haciendo una obra profunda en mi alma. "¿Qué tengo que hacer para recibir a Jesús en mi corazón?" Inquirí, llena de lágrimas y con el único deseo de que mi amado Jesucristo pusiera fin a esa pesadilla interminable. "Arrepiéntete y pídele que venga a morar en tu corazón, que lo quieres hacer tu Señor y tu Salvador", añadió él.

Esa palabra, "arrepiéntete", fue la palabra más dura y difícil que pudo pronunciar. En ese instante, vino sobre mí el Espíritu Santo, con tal convicción de pecado que caí quebrantada, en una mezcla de infinito dolor y vergüenza. Era un arrepentimiento que estaba intensamente purgando mi conciencia.

42   Dra. Ana Méndez Ferrell

Mi alma se derramaba literalmente delante de Dios, clamando por su misericordia. Fue en esa profunda y verdadera oración, que el Espíritu Santo quitó el velo de mis ojos y vi con claridad todo el engaño en que me había metido el diablo. "Perdóname Señor, perdóname...", dije en un hilo de voz. Era espantoso pensar que pudiera ver desde su pureza más hermosa, el horrendo ser en que me había convertido. Nadie pudo sentirse más inmundo y más infeliz que yo en aquella hora. Deseaba con vehemencia palpar su impecable bondad, despojarme de todo cuanto me alejaba de su luz.

Dentro de mí, se removían los demonios de rencor y destrucción. Fue una lucha desgarradora en la que todo mi ser se debatía. "¡Arráncame, Señor, estos gusanos que me carcomen!", le gritaba desesperada desde mi interior. Fui confesando mis pecados, sin máscaras ni disfraces. Mi llanto brotaba de lo más profundo de mi alma. Me pude ver tal como había servido al diablo, cómo cada uno de mis actos clavaban a Jesús en la cruz. Cada uno de mis pecados era como una confrontación directa ante la pureza y la santidad de Aquél que me amó pese a todo, y dio su vida por mí. Nadie merecía menos su gracia, su misericordia y su perdón, como yo.

La presencia de Dios era fuertísima. Me sentía como un gusano asqueroso delante de su divinidad. Mientras confesaba, un fuego en mis adentros me consumía. Más merecía el castigo y la muerte, que esa pretenciosa indulgencia a la que aspiraba. "¡Señor!", grité. "No soy digna de que ni siquiera me escuches... Pero, ¿quién sino tú puede ser capaz de tener misericordia de mí? Me estoy muriendo, Padre mío... ¡por todos lados estoy quebrantada y mi corazón está hecho pedazos!"

Entonces sentí su amor que me empezó a llenar. Supe claramente que me estaba perdonando. No podía creer que hubiera un amor tan grande que tuviera compasión de mí. ¡De mí! ¡Una sierva de satanás!, pero lo hizo. Le dije con todo mi ser y con todas mis fuerzas: "¡Gracias, Señor Jesús! ¡Entra ahora en mi corazón y toma mi mano para que nunca me aparte de ti; sé mi Señor y mi Salvador!

Mientras terminaba de hablar, el pastor puso sus manos sobre mi cabeza y dijo: "Señor, te ruego limpies a tu hija Ana de toda maldad y que rompas todo pacto con el diablo". Entonces, tuve la impresión de estarlo viendo, clavado en la cruz y diciéndome que lo había hecho por amor a mí, para que yo pudiera ser redimida. Fue tan real que casi lo hubiera podido tocar. Veía su sangre escurriendo cuerpo abajo, llevando la carga de todo el pecado del mundo. Derramaba su sangre para darme la vida y yo, en cambio, había vertido la mía para destruirme.

Christian, el pastor, seguía orando: "y te pido también, que en este momento, todo espíritu inmundo salga fuera y que sobre ella venga el Espíritu Santo". No fueron más que estas sencillas palabras. En ese preciso instante, sentí como si un rayo cayera del cielo y rompiera todas las cadenas que me ataban. Sentí cómo estallaba la coraza de sufrimiento y de agobio que me oprimía y se partía en mil pedazos. El cuarto se llenó de una luz infinitamente bella, y volví a sentir esa bondad maravillosa con la que Cristo me había visitado la primera vez. Me sentí como un pájaro, como si pudiera volar en aquel momento. Mi corazón se llenó de gozo y de paz. Y de una cosa estaba segura, que Cristo me había hecho completamente libre.

Durante los días que pase en el hospital, la presencia de Dios fue tremendamente fuerte sobre mi vida. Lo primero que me dijo el Espíritu Santo, fue que no se me ocurriera voltear hacia atrás en lo más mínimo, porque el enemigo estaba enfurecido en contra de mí, por la decisión que había tomado de seguir a Cristo. Lejos de darme miedo esas palabras, me llené de un celo divino y decidí hacerle la guerra al diablo hasta el final. Quería arrebatarle todas las almas que pudiera, sacar a la luz sus engaños, liberar a los cautivos y servir a Dios con todo mi corazón.

Estaba profundamente agradecida por mi salvación. Cuán ciertas son las palabras de Jesús, cuando dijo: "al que más se le perdonó fue quien más amó". Sin embargo, había algo que me daba vueltas en la cabeza y que no acababa de comprender. Inquirí en mi espíritu. "Jesús tú viniste a mí cuando tenía 18 años. Sabías que me enamoré perdidamente de ti en ese entonces. Que fui vituperada por tu nombre y que de haberme enviado un mensajero con un folletito, yo te hubiera servido en una entrega total. ¿Por qué Señor, en once años, nunca me enviaste a nadie que me mostrara tus caminos? ¿Por qué me dejaste caer en manos del diablo en la forma tan engañosa como lo hizo? ¿Y por qué tuve que vivir esos horrores tan espantosos en manos de satanás si sabías que te amaba y te estaba buscando a ti?"

Su amor me envolvió una vez más y me respondió al corazón: "Era necesario que vivieras las profundidades del diablo por causa del llamado que tengo para tu vida. Yo nunca te dejé ni te abandoné, ni permití que te matara como él quería hacerlo. Pero yo quería que conocieras las debilidades del diablo y sus limitaciones, que perdieras el miedo y que entendieras los puntos débiles del corazón y de la vida de sus ministros, porque te voy a usar grandemente para libertar pueblos y naciones y para destruir las obras del diablo".

La historia es mucho más larga y dramática de lo que aquí puedo narrar, pero puedo decirle que desde aquel día de mi salvación, el reino de las tinieblas ha sido sacudido y derrotado muchas veces. He visto al diablo varias veces y él sabe que yo sé, que él no tiene poder, sino que nosotros tenemos poder en Cristo Jesús. Cuando el diablo se da cuenta que usted realmente sabe que él está vencido, usted se vuelve un enemigo a quien él verdaderamente teme.

CAPÍTULO
3

La Guerra Espiritual desde un Enfoque Correcto

"Por lo demás, hermanos míos, fortaleceos en el Señor y en su fuerza poderosa. Vestíos de toda la armadura de Dios, para que podáis estar firmes contra las asechanzas del diablo, porque no tenemos lucha contra sangre y carne, sino contra principados, contra potestades, contra los gobernadores de las tinieblas de este mundo, contra huestes espirituales de maldad en las regiones celestes".

Efesios 6.10-12

Una Guerra Justa

He oído hablar a algunos siervos de Dios, diciendo que la iglesia no tiene por qué pelear contra el diablo y sus demonios, ya que de "Dios es la guerra" y Él es el único que puede combatir con las altas jerarquías de las tinieblas. Aluden también, que el pelear los hijos de Dios a estos niveles, no es de Dios. Nada puede ser más malentendido y falso que lo que le acabo de narrar; y usted se va a dar cuenta, claramente, por qué.

Lo primero que tenemos que entender, es que el diablo, en todo el supuesto poderío con que algunos lo quieren ver, no es más que una criatura, y además, caída. Al compararlo con Dios, no es más grande que una mosca, a quien el Señor, con un simple soplo y sin mucho esfuerzo, lo desintegra. Si el plan de Dios fuera pelear Él sólo la batalla, hace mucho que ya no habría diablo.

Piense un momento en lo infinitamente poderoso que es Dios. La tierra en todo su esplendor es tan sólo el estrado de sus pies. A su voz, se formó todo el universo. Los cielos de los cielos no lo pueden contener. Entre las muchas cosas grandiosas que la Escritura habla de Él, dice:

"¡Jehová reina! ¡Se ha vestido de majestad!
¡Jehová se ha vestido, se ha ceñido de poder!

Afirmó también el mundo y no será removido. Firme es tu trono desde siempre; tú eres eternamente. Jehová en las alturas es más poderoso que el estruendo de las muchas aguas, más que las recias olas del mar".

Salmos 93.1, 2 y 4

También dice:

"Los montes se derritieron como cera delante de Jehová, delante del Señor de toda la tierra".

Salmos 97.5

Nada hay que se pueda comparar con su gloria y su poderío. Entre las cosas que lo hacen infinitamente grande, es que es infinitamente justo. Y es incapaz de hacer nada injusto. Por esa razón, es imposible que Dios haga una guerra de tú a tú, con el diablo. Sería una guerra terriblemente injusta, ver a un Dios poderosísimo en contra de una diminuta criatura caída. Pero como esto es imposible, Dios planificó cómo derrotarlo y llevarse Él toda la gloria.

Su plan fue entonces, que alguien hecho menor que los ángeles, fuese quien lo derrotara. De esta manera, Jesús, su hijo unigénito se humilló y se hizo hombre para deshacer las obras del diablo. (Paráfrasis de 1 Juan 3.8)

"Lo hiciste un poco menor que los ángeles, lo

coronaste de gloria y de honra y lo pusiste sobre las obras de tus manos. Todo lo sujetaste bajo sus pies». En cuanto le sujetó todas las cosas, nada dejó que no le sea sujeto, aunque todavía no vemos que todas las cosas le sean sujetas".

Hebreos 2.7, 8

¡Qué gloria tan grande y qué plan tan grandioso, derrotar al diablo con una criatura hecha menor que él! Cuando Jesús, hecho hombre, venció en la cruz del Calvario, derrotó categórica y absolutamente todo el imperio del diablo, desde la más alta autoridad en el reino de las tinieblas hasta la más pequeña. Ahora, esto no significa, como piensan algunos, que ahí se acabó el caso y, entonces, ya no hay que pelear.

De Él también fue dicho:

"Pero Cristo, habiendo ofrecido una vez para siempre un sólo sacrificio por los pecados, se ha sentado a la diestra de Dios. Allí estará esperando hasta que sus enemigos sean puestos por estrado de sus pies..."
Hebreos 10.12, 13

Y si está esperando, claramente nos da a entender que alguien más los tiene que poner en esa posición, y quien lo tiene que hacer es la Iglesia.

Pablo dijo acerca de este asunto:

"y de aclarar a todos cuál sea el plan del misterio escondido desde los siglos en Dios, el creador de todas las cosas, para que la multiforme sabiduría de Dios sea ahora dada a conocer por medio de la iglesia a los principados y potestades en los lugares celestiales..."   Efesios 3.9, 10

Tenemos que entender que todas las victorias de la cruz son absolutas y perfectas. Pero Dios delega al cuerpo de Cristo, la Iglesia, para que venga el cumplimiento en la tierra. Analicemos esto: ¡Jesús murió por la salvación de todos los hombres! Esto se cumplió en la cruz y es irrevocable. Pero esto no significa que todos los hombres son automáticamente salvos, ya que la Iglesia tiene que predicar el evangelio, y los inconversos, aceptarlo.

Otra victoria de la cruz, es que Jesús llevó todas nuestras enfermedades y todos nuestros dolores. Esto es absoluto y verdadero. La iglesia tiene que orar y recibir por fe su sanidad; de otra manera, no pasa nada.

La misma verdad se aplica a que Jesús venció sobre todo el poder del diablo, pero esto no significa que ya no hay diablo, y que la Iglesia no tiene que hacer nada. Como acabamos de leer, el Cuerpo de Cristo tiene que anunciarle a los principados y a las potestades en las regiones celestes, que Jesús los venció en la cruz y entonces tomar autoridad sobre ellos. Desde luego, es Cristo en nosotros el que pelea las batallas, y de esta forma, el poder de Dios es desatado en contra del diablo. Es por medio de la oración del justo, que las bases legales son establecidas para que Dios actúe. A mayor conocimiento, autoridad y unción en el guerrero de oración, mayor será la intervención de Dios. Dios siempre ha usado al hombre para ser el canal a través del cual Él envíe su poder.

En la guerra más grandiosa que Dios manifestó su poder usando un hombre como canal, en el Antiguo Testamento, fue en la liberación de Israel del cautiverio de Egipto, Jehová nada hizo sin Moisés. La obediencia y el coraje de este gran siervo, para confrontar a Faraón y a los dioses egipcios, fueron determinantes para libertar a Israel.

"Porque no hará nada Jehová, el Señor, sin revelar su secreto a sus siervos los profetas".

Amós 3.7

De "Dios es la guerra", esto significa que el Espíritu Santo revelará a sus siervos, los profetas, las estrategias y la palabra que tiene que ser declarada para vencer. Esto desata el poder de Dios sobre principados y potestades, y los santos obtienen la victoria. No es un asunto de decir: "Dios te lo dejo todo a ti; nosotros no nos metemos con las fuerzas de las tinieblas en el segundo cielo".

La Guerra es en las Regiones Celestes

1. ¿Cómo es el mundo espiritual?

Cuando hablamos de guerra espiritual, no sólo debemos conocer las artimañas de nuestro enemigo, sino el terreno donde se pelea la batalla.

La Biblia nos habla claramente de este campo de combate:

"Por lo demás, hermanos míos, fortaleceos en el Señor y en su fuerza poderosa. Vestíos de toda la armadura de Dios, para que podáis estar firmes contra las asechanzas del diablo, porque no tenemos lucha contra sangre y carne, sino contra principados, contra potestades, contra los gobernadores de las tinieblas de este mundo, contra huestes espirituales de maldad en las regiones celestes".   *Efesios 6.10-12*

Una de las corrientes de opinión que están circulando entre el cuerpo de Cristo, alude que Jesús, a quien le fue dada toda autoridad en el cielo y en la tierra, sólo nos dio, a su Iglesia, autoridad en la tierra. Que bajo ninguna circunstancia tenemos autoridad en lo que se conoce como el segundo cielo, o el ámbito espiritual donde se mueve el diablo, ya que en estas regiones celestes sólo Dios puede pelear, lo cual es verdad en cierto sentido, pero no lo hará sin que haya una oración correspondiente en la tierra.

La verdad es que este tipo de pensamiento, nacido de sueños que alguien tuvo y de conjeturas humanas, no es otra cosa que un espíritu de error infiltrado en la iglesia, y que no tiene ningún fundamento en la Escritura que pueda ser probado.

Analicemos estas corrientes desde el punto de vista bíblico. Veamos la traducción de Efesios 6.12 en varias versiones.

• "...Huestes espirituales de maldad en las regiones celestes". (American Standard)

• "...Espíritus de maldad en lo alto". (Twenty Century New Testament)

• "...Huestes espirituales levantadas en contra nuestra en la guerra celeste". (New Testament Weymouth)

• "...Contra influencias malignas en jerarquías más altas que nosotros". (Knox)

• "...Y agentes espirituales desde los mismos cuarteles del mal". (Nuevo Testamento en Inglés Moderno – Phillis)

• "...Contra gran número de espíritus de maldad en el mundo espiritual". (Biblia parafraseada – Taylor)

- "...Huestes espirituales de maldad en el mundo espiritual". (Biblia Amplificada)

En todas estas traducciones, vemos que hay una coherencia en que la guerra se lleva a cabo en el ámbito espiritual, desde donde el diablo opera. En ninguna parte de la Escritura, vemos que Dios haga diferencia entre un mundo espiritual terrenal y un mundo espiritual celestial demoníaco, como si hubiese una raya invisible que lo dividiera.

Lo terrenal es el mundo material. Lo espiritual es el mundo invisible. Un demonio habitando un cuerpo físico no se ha vuelto terrenal, sigue perteneciendo al mundo invisible y tiene que lidiarse espiritualmente.

Cuando el apóstol Pablo se refiere a huestes espirituales de maldad en las regiones celestes, éstos son precisamente los espíritus que habitan u operan a través de la gente, y sin embargo, dice que se han de lidiar en el ámbito espiritual o las esferas celestes. El mundo espiritual no cambia según la altura en la que operan los poderes de las tinieblas. Es un mismo ámbito actuando indiferentemente arriba o abajo.

Hay quienes piensan, que si una potestad de las tinieblas se le presenta a un creyente en la tierra, entonces tiene autoridad para pelear contra ella; pero si la potestad está en el segundo cielo, entonces el creyente ya no tiene autoridad para combatirla. Para mí, esto es una percepción poco clara del mundo invisible y que da lugar a que sea mal interpretada. El ámbito denominado como regiones celestes no tiene límites divisorios ni tampoco un arriba y un abajo. Es una dimensión diferente a la nuestra, pero que opera en medio de nosotros.

Como profeta de Dios y como general de guerra y de liberación, he visto muchas veces este ámbito. También lo he visto muchas veces cuando pertenecía al ejército del enemigo, antes de mi conversión.

Es una dimensión donde hay diversas regiones, lugares de cautiverio, lugares de tormento, terribles fortalezas de gobierno, pozos de aprisionamiento, desiertos, lugares de densas tinieblas, donde los poderes de las tinieblas se mueven por todos lados, sin haber un arriba y un abajo. Y todo eso está en medio del mundo terrenal. Pero si lo tratamos de entender con la mente natural, como una región arriba "celestial" (segundo cielo) y otra abajo terrenal, inevitablemente habrá confusiones. Las cosas espirituales se han de discernir espiritualmente.

Veamos un ejemplo para aclarar que no hay un arriba y un abajo en el mundo espiritual:

Uno de los dominios más poderosos que rigen la tierra es la "Gran Ramera" de Apocalipsis, conocida también como el espíritu y la estructura de "la reina del cielo". Dice la Palabra que ésta "es la gran ciudad que gobierna sobre los reyes de la tierra". Apocalipsis 17-18 ¿Y dónde está esta gran ciudad? ¿Abajo en la tierra o arriba en el segundo cielo?

La Palabra dice que está sobre muchas aguas, y que estas aguas son pueblos y naciones. ¿Esto es arriba o abajo? Dice, también, que está en el desierto.

En Apocalipsis 17.3, dice:

"Me llevó en el Espíritu al desierto y vi una mujer sentada sobre una bestia escarlata llena de nombres de blasfemia que tenía siete cabezas y diez cuernos".

¿Juan subió al segundo cielo, o la mujer estaba en la tierra? Nos habla de que todos los reyes de la tierra han fornicado con ella y los habitantes de la tierra se han embriagado con el vino de su fornicación (Apocalipsis 17.2).

¿Adónde fornicaron y bebieron el vino? ¿En el segundo cielo, o es acaso que la ciudad que gobierna todo el mundo se encuentra abajo en la tierra y no en un supuesto segundo cielo? Si no tenemos autoridad en las regiones celestes, como dicen algunos, cómo entonces dice Dios:

"Dadle a ella, tal como ella os ha dado y pagadle

el doble, según sus obras. En el cáliz que ella
preparó bebida, preparadle el doble a ella.
Cuanto ella se ha glorificado y ha vivido en
deleites, tanto dadle de tormento y de llanto"

Apocalipsis 18.6, 7

¿Va a bajar del segundo cielo para que le demos
tormento, o vamos a ir arriba?

No se complique la existencia dilucidando algo que no
tiene sentido. La verdad es que no hay un segundo cielo
que está allá arriba, quién sabe dónde, desde donde
operan unos terribles demonios inaccesibles, y un ámbito
espiritual terrenal. El diablo gobierna desde un ámbito
espiritual sin divisiones intermedias. Un mundo invisible,
que es al cual se refiere el apóstol Pablo cuando habla de
regiones celestes o mundo espiritual. Usted puede llamarle
segundo cielo si quiere, pero es importante saber que no
está arriba, es una dimensión diferente.

La tesis que sostienen algunos predicadores y que creo
que el diablo está usando para traer gran confusión es:
Dios nos ha dado autoridad para echar fuera demonios en
la tierra, pero que no tenemos ningún poder para pelear
en las regiones celestes. Si esto fuera verdad, y hubiera
realmente una línea divisoria entre la tierra y un segundo
cielo, veamos lo que pasaría.

Definitivamente, todos podemos llegar al acuerdo de

que el reino de las tinieblas está coordinado y coyunturado entre sí para poder subsistir.

Entonces, imaginemos una potestad territorial desde el segundo cielo gobernando una región. Se siente intocable, los cristianos no tienen poder contra ella, y está feliz trayendo todo el mal que quiere a través de sus ejércitos que envía a la tierra y los cristianos se emocionan porque tienen autoridad sobre esos demonios y los empiezan a atar y a echar fuera.

¿Usted realmente cree que esa potestad se va a quedar de brazos cruzados? De ninguna manera. Eso ha sido el fracaso de tantas iglesias, que empiezan con éxito, y al cabo del tiempo se vuelven nada. Son iglesias divididas, o destruidas por el pecado porque no tenían idea de cómo defenderse. Y la respuesta que algunos dan es: de Dios es la guerra, que Él pelee por nosotros. También del Señor es la salvación y no por eso decimos: Tú, ¡oh! Dios, predícale a esos pueblos. ¡Tan insensata es una cosa como la otra!

En algunas partes de la Escritura, se menciona que satanás es echado de los cielos a la tierra. Esto no significa que fue arrojado del segundo cielo o regiones celestes y que ahora sólo tiene autoridad en la tierra, sino que ha sido despojado de sus derechos y de su posición en el reino de Dios.

Uno de estos pasajes es la caída de Luzbel, el querubín protector, narrada en Isaías Capítulo 14 y Ezequiel 28.11-

19. Éste es el momento que este arcángel, hasta entonces siervo entre las huestes de Dios, es desterrado de su posición celestial en el tercer cielo.

"...te puse en ceniza sobre la tierra, ante los ojos de todos los que te miran". Ezequiel 28.18

Sabemos que esto sucedió antes de la creación de Adán y que las regiones celestes subsisten hasta ahora, y es desde donde gobierna el diablo. Otro fragmento de la Palabra que nos habla de que satanás es echado por tierra, está en Apocalipsis 12.9, 10 cuando dice:

*"Y fue lanzado fuera el gran dragón, la serpiente antigua, que se llama Diablo y Satanás, el cual engaña al mundo entero. Fue arrojado a la tierra y sus ángeles fueron arrojados con él. Entonces oí una gran voz en el cielo, que decía: «Ahora ha venido la salvación, el poder y el reino de nuestro Dios y la autoridad de su Cristo, **porque ha sido expulsado el acusador de nuestros hermanos**, el que los acusaba delante de nuestro Dios día y noche".*

Aquí, al igual que en el pasaje de Ezequiel, satanás lo que pierde es una posición en el tercer cielo. En su caída, antes que el mundo fuese, perdió su posición como director de la alabanza celestial, y en este último, pierde su puesto como "fiscal" o abogado criminalista en la corte de Dios. Es como quien es echado fuera de una compañía: pierde su puesto, pero no su "hábitat". Lucifer pierde su posición en el cielo de Dios, pero no "el mundo espiritual", que es donde él se mueve.

2. Jesús destruyó todo el imperio del diablo y nos dio toda Autoridad.

La victoria de la cruz no fue parcial, Jesús derrotó a satanás y a toda su organización gubernamental de una vez por todas. Y la autoridad que Él conquistó no fue sólo sobre los demonios que habitan en las personas, sino también los que operan fuera de cuerpos de carne.

Cuando Jesús echó fuera demonios en la tierra, aún no había derrotado al diablo en su totalidad. Pero después de la resurrección, dijo: **"Toda potestad me es dada en los cielos y en la tierra" Mateo 28.18,** y después de esto, les dio la gran comisión de ir y establecer el Reino de Dios.

Establecer el Reino implica entrar a lugares terriblemente ocupados por fuerzas de las tinieblas, donde el poder de Dios tiene que primero derrotar los principados territoriales para que el evangelio pueda avanzar con éxito. De otra manera, los resultados serán muy pobres y, a veces, devastadores para los que lo intentan.

Jesús dijo:

"Pero si yo por el dedo de Dios echo fuera los demonios, es que ciertamente ha llegado a vosotros el Reino de Dios, pues ¿cómo puede uno entrar a la casa del hombre fuerte y saquear sus bienes si primero no le ata?; entonces, podrá saquear su casa". Mateo 12:28, 29

Mi país de origen, México, fue por muchos años, uno de los lugares con más mártires en la tierra. Sus cielos eran de bronce, y avanzar el Reino, en ocasiones, causó la muerte de preciosos siervos de Dios. Antes de entender cómo hacer guerra espiritual territorial, vi a tantos pastores caer en los pecados más abominables, vi iglesias destruirse, otras ser deglutidas por la masonería, mientras sus pastores ni siquiera se daban cuenta en lo que se estaban metiendo.

Otros que se establecían en lugares donde había potestades de muerte, eran perseguidos ellos y su gente, por enfermedades, ataques cardíacos, accidentes o simplemente, muerte espiritual.

Miles de pastores están por todos lados en desánimo, sumergidos en una rutina religiosa sin vida, con iglesias cada vez más pequeñas, y esto no sólo en México, sino en todas partes de mundo. La razón es, y Jesús lo dijo bien claro: no podemos saquear la casa si primero no atamos al hombre fuerte.

A partir de 1994, en México, empezamos a hacer guerra espiritual a nivel estratégico, y a levantar el ejército de Dios en toda la nación, y vimos cambios radicales en el país. Las iglesias comenzaron a surgir en forma poderosa. Avivamientos se desataron en muchas partes de la república. La apertura de los cielos es notable. Poderosos movimientos del Espíritu Santo han entrado a la nación. Hombres y mujeres están siendo levantados por Dios a nivel nacional e internacional, porque estamos entendiendo nuestra autoridad en Cristo Jesús y estamos poseyendo la tierra.

En el Antiguo Testamento, el cual es sombra y figura del Nuevo, Dios le entregó la tierra prometida a Josué, pero era una tierra ocupada por gigantes, a los que él tenía que vencer. De igual manera ocurre con nuestras naciones, es parte de la herencia que Dios quiere darnos. Pero están ocupadas por espíritus territoriales que tenemos que echar fuera.

"Pídeme y te daré por herencia las naciones y como posesión tuya los confines de la tierra".
Salmos 2.8

Tenemos de parte de Dios, toda la autoridad de Cristo, porque somos el mismo cuerpo del Señor. El cuerpo de Cristo es tan poderoso como su cabeza. De otra manera, no estamos conectados a la verdadera autoridad.

Podrá el cuerpo decirle a la cabeza: "Yo no combato contra esos demonios, pelea tú sola". O ¿no es acaso la cabeza la que le da el poder al cuerpo para ejecutar todo lo que ella quiere? ¡Que Dios alumbre los ojos de nuestro entendimiento para poder ver sus riquezas en gloria! Y como dice la Escritura:

*"y cuál la extraordinaria grandeza de su poder para con **nosotros los que creemos**, según la acción de su fuerza poderosa. Esta fuerza operó en Cristo, resucitándolo de los muertos y sentándolo a su derecha **en los lugares celestiales, sobre todo principado y autoridad, poder y señorío,** y sobre todo nombre que se nombra, no solo en este siglo, sino también en el venidero. Y sometió todas las cosas debajo de sus pies, y lo dio por cabeza sobre todas las cosas a la iglesia, **la cual es su cuerpo, la plenitud de Aquel que todo lo llena en todo".* Efesios 1.19-23*

Si somos la plenitud de Cristo, ¿cómo va a tener Él toda la autoridad y nosotros una autoridad limitada? El cuerpo y la cabeza tienen el mismo poder si están conectados el uno con el otro.

Jesús no está separado de su Iglesia sentado en un trono arriba en el cielo, y nosotros aquí abajo limitados en autoridad y a merced de lo que los espíritus territoriales quieran hacer. Jesús está en medio de nosotros. "En Él nos movemos, estamos y somos". En Jesús, no hay división entre los cielos y la tierra.

La Biblia dice:

"Él nos dio a conocer el misterio de su voluntad, según su beneplácito, el cual se había propuesto en sí mismo, de reunir todas las cosas en Cristo, en el cumplimiento de los tiempos establecidos, así las que están en los cielos como las que están en la tierra".   *Efesios 1.9, 10*

En mi parecer, es un tremendo error teológico decir que Jesús tiene toda la autoridad en los cielos y que nosotros sólo tenemos autoridad en la tierra. Insisto, Jesús no está separado de sus verdaderos santos.

"Pero el que se une al Señor, un espíritu es con Él".   *1 Corintios 6.17*

Ésta es la comunión íntima con el Espíritu del Señor.

"...como tú, Padre, en mí y yo en ti, que también ellos sean uno en nosotros..."   *Juan 17.21*

El que se une a Jesús, bajo su total señorío y santificación, **es verdaderamente uno con Jesús**. Uno, no significa, Él arriba en el cielo y yo abajo en la tierra. Uno, significa "uno". Jesús dijo: "El Reino de Dios

está en medio de vosotros". Esto es, en nuestro espíritu. El Reino de Dios tiene en sí mismo toda la autoridad de su Rey.

Jesús le dijo a Pedro, tipo de la autoridad apostólica de la iglesia:

"Y yo también te digo que tú eres Pedro, y sobre esta roca edificaré mi iglesia, y las puertas del Hades no la dominarán. Y a ti te daré las llaves del reino de los cielos: todo lo que ates en la tierra será atado en los cielos, y todo lo que desates en la tierra será desatado en los cielos".

Mateo 16.18, 19

Estas llaves no son otra cosa, sino la autoridad de Dios, para afectar tanto la tierra como los cielos. Las puertas del Hades representan el gobierno del imperio de satanás que es derrotado por la iglesia.

El Señor también dijo:

"...Os doy potestad de pisotear serpientes y escorpiones, y sobre toda fuerza del enemigo, y nada os dañará".   *Lucas 10.19*

Aquí incluye todo tipo de serpientes, desde las que se arrastran. Por ejemplo: la serpiente antigua (Génesis 3.14), la serpiente voladora (Apocalipsis 12.9) y las serpientes del agua (Isaías 30.6, Isaías 27.1).

Hay personas que siguen viendo a Leviatán, la terrible serpiente de las aguas, como un monstruo a quien nadie se le puede acercar, y mucho menos destruir, según lo describe el libro de Job. Pero lo cierto es, que Jesús derrotó a todo demonio y monstruo del averno en la cruz del Calvario. Y ahora, en la autoridad de Jesús, podemos hollar a toda serpiente. Esto es lo que dijo el Señor.

La verdad es que cuando se experimenta el poder de Dios en guerra territorial, los demonios más terribles son como de juguete, al lado de la temible majestad y autoridad de nuestro Dios. Cuando peleamos (a quien Dios ha llamado al frente de batalla, y de esto hablaré más adelante), no somos como pequeños soldaditos romanos, con una espadita y un escudito como lo pintan los manuales de escuela dominical. Somos poderosísimos en Él. El tamaño de nuestro espíritu, unido al de Jesús, es gigantesco. Nuestra armadura es la misma armadura de Dios, impenetrable e indestructible, llena de llamas de fuego y destellos de poder que se desprenden de ella.

"porque las armas de nuestra milicia no son carnales, sino poderosas en Dios para la destrucción de fortalezas".   *2 Corintios 10.4*

Cuando podemos ver cómo Dios nos ha investido de su gran poder, producimos gran temor en las filas del diablo. Los demonios, dice la Palabra, que creen y tiemblan delante de Dios. Y es que de Él, estamos revestidos, y nuestra vida está escondida en Cristo Jesús. Algunos siguen queriendo ver al diablo, a Leviatán, y los poderes territoriales como la gran cosa, y eso es precisamente lo que quiere satanás: intimidar al ejército de Dios para que le dejemos de hacer daño y que él siga gobernando como quiera.

Pero, ya no estamos ni en el tiempo de Job, ni en el de Isaías para ver al gran dragón, la serpiente antigua, como indestructible. Jesús ya venció sobre él, se sentó en toda autoridad a la diestra del Padre y de allí en adelante, está esperando a que todos sus enemigos sean puestos en el estrado de sus pies.

3. La Autoridad de los Ángeles y la de la Iglesia.

a) Pasajes mal interpretados

He escuchado y leído algunos autores que opinan que la Iglesia no tiene la facultad para reprender a satanás. Basan esta teología en los pasajes de Judas y segunda de Pedro. Hemos visto ya, que Dios nos ha dado toda autoridad para hollar serpientes y escorpiones y que nada nos dañará.

Hollar significa poner bajo nuestros pies, humillar, hacer pedazos. Cualquiera de estos términos son más fuertes que reprender. La palabra reprender proviene de la palabra griega "epitimao". Esta palabra, además de amonestar, se usa también como un término legal que implica: censurar, poner un acta de restricción o poner cargos contra alguien en una corte.

El apóstol Judas, en su epístola, escribe en contra de los falsos maestros que han surgido en medio del pueblo de Dios. Esta carta es una advertencia contra hombres llenos de iniquidad que se han infiltrado en la Iglesia, y el apóstol nos muestra cómo identificarlos.

En ninguna manera, es una enseñanza sobre la autoridad de los verdaderos creyentes con respecto a satanás; y es importante para mantener la sana doctrina, el observar el contexto en que esto está escrito:

"porque algunos hombres han entrado encubiertamente, los que desde antes habían sido destinados para esta condenación, hombres impíos, que convierten en libertinaje la gracia de nuestro Dios y niegan a Dios, el único soberano, y a nuestro Señor Jesucristo". Judas 1.4

*"No obstante, de la misma manera también estos soñadores mancillan la carne, rechazan la autoridad y blasfeman de los poderes superiores. Pero cuando el arcángel Miguel luchaba con el diablo disputándole el cuerpo de Moisés, no se atrevió a proferir **juicio de maldición contra él,** sino que dijo: «El Señor te reprenda». Pero estos blasfeman de cuantas cosas no conocen; y*

en las que por naturaleza conocen, se corrompen como animales irracionales".

Judas 1.8-10

(el pasaje de 2 Pedro 2.9-22 es análogo al de Judas).

Démonos cuenta que es sumamente claro, que aquí no está hablando del ejército de Dios en la tierra, sino de personas que ni siquiera son cristianas. Y la gran mayoría conocemos este tipo de personas engreídas, que se sienten dioses y que se burlan del diablo y de sus huestes; ateos sin ningún temor de Dios.

La pregunta es: ¿Tiene el cristiano nacido de nuevo autoridad para reprender al diablo? Yo creo que el único que puede someter a juicio a satanás es Dios, en sus tres personas. Pero Él también es soberano para delegar, y más aún porque nos hemos hecho un sólo espíritu con el Espíritu del Señor. Y es Jesús en nosotros, que con toda autoridad y seriedad puede someter al diablo a ser reprendido, esto es: puesto bajo juicio divino. Él mismo, está sentado a la diestra del Padre esperando a que todos **"...sus enemigos sean puestos por estrado de sus pies". Hebreos 10.13**

Creo también, que es parte de la misión del Espíritu Santo en la tierra, usar a la iglesia para recordarle al diablo que ya ha sido juzgado y vencido, y esto es lo que significa reprender. **"Y cuando Él venga (el Consolador),**

convencerá al mundo de pecado, de justicia y de juicio. De pecado, por cuanto no creen en mí, de justicia, porque yo voy al Padre y no me veréis más y de juicio, por cuanto el príncipe de este mundo ya ha sido juzgado".

Luego, no es la Iglesia la que independientemente toma acción de enjuiciar al diablo, sino el Espíritu Santo en el creyente, el que le recuerda a satanás lo que Dios ya hizo. No es un asunto de pegarle de gritos a satanás, sino de darle el derecho legal a Jesús, por medio de nuestra oración, de someter al diablo bajo juicio divino. El creyente que verídicamente ha unido su vida a Jesús, es Su cuerpo y ha sido hecho mayor que los ángeles.

"Él, que es el resplandor de su gloria, la imagen misma de su sustancia y quien sustenta todas las cosas con la palabra de su poder, habiendo efectuado la purificación de nuestros pecados por medio de sí mismo, se sentó a la diestra de la Majestad en las alturas, hecho tanto superior a los ángeles cuanto que heredó más excelente nombre que ellos". **Hebreos 1.3, 4**

Y de los ángeles dice, dando a entender que los creyentes somos verídicamente coherederos con Cristo: ¿No son todos espíritus ministradores, enviados para servicio a favor de los que serán herederos de la salvación? El creyente es el cuerpo del Señor, no estamos separados de Él. Si Miguel, ciertamente, no se atrevió a proferir juicio de maldición contra el diablo, era: primero, porque satanás no había sido juzgado por la muerte de Jesús, y segundo, porque ninguno de los ángeles es coheredero con Jesús ni parte de su propio cuerpo. Tercero, porque Jesús jamás les dio la autoridad total sobre el adversario como se la dio a la Iglesia.

b) El motivo de la Guerra es la Compasión de Jesús.

La guerra Espiritual no es un asunto de moda, o un mover del Espíritu que es opcional si entramos en él o no. Dios nos ha llamado a todos como soldados en diferentes niveles, por supuesto. Somos su ejército en la tierra con el cual Él cuenta para deshacer las obras del diablo y establecer su Reino.

Por otro lado, la guerra ya está declarada, y el diablo anda como león rugiente buscando a quién devorar. Él está matando robando y destruyendo a diestra y a siniestra, y sus ejércitos están desplegados llevando a las naciones a la era más oscura, violenta e infernal de la historia. Esto está produciendo un terrible dolor en el corazón de Dios. El llamado a la guerra tiene que ver con la esencia del evangelio, que es el profundo amor de Dios, por el cual Él dio lo más preciado que tenía, Su Hijo, para rescatar al hombre de las garras destructoras del diablo.

Dios me rescató de tormentos terribles. Satanás tenía su yugo sobre mí y me oprimía de día y de noche. Vivía sumergida en el dolor más horrendo, sin esperanza, sin saber que existía una salida, simplemente aceptando mi destino en profundo sufrimiento. Recuerdo años en los que lloré los 365 días. Las tinieblas, el miedo, el acoso constante de inesperadas injusticias y desgracias, hunden el alma en pozos de extenuante aflicción.

Dice la Palabra:

"¡Mira al pacto, porque los lugares tenebrosos de la tierra están llenos de habitaciones de violencia!".		*Salmos 74.20*

Nada más que el diablo está alrededor de brujos y hechiceros, y está llenando la tierra de agresión y violencia. Homicidios, mujeres muertas a golpes por maridos borrachos, niños asesinados en las escuelas, jovencitas violadas por sus propios padres, jóvenes muertos de sobredosis, hordas de gente arrastrada por la idolatría viviendo en niveles de pobreza infra-humanos, o víctimas de enfermedades fulminantes, esperando que un ídolo de madera les responda.

Millones de niños tienen que salir huyendo de sus hogares porque ya no aguantan los golpes criminales de sus padres o el abandono. Los hay que se salen de sus casas con dos y tres años de edad, rescatados por el hermanito mayor de seis años. Viven en las cloacas, hasta que un día desaparecen porque un satanista los requería para sus sacrificios. A veces, se quedan calladitos abrazando a la hermanita que un coche mató y huyó, y ahí se quedan muertos de frío en la calle. Esto no es exageración, hay países que los matan como ratas porque los gobiernos no saben qué hacer con ellos.

Dice la Biblia que:

"... Sabemos que toda la creación gime a una, y a una está con dolores de parto hasta ahora..."

Romanos 8.22

En el corazón de todo hombre, mujer o niño, hay un clamor interno y silencioso a nuestros oídos, pero terriblemente sonoro en el corazón de Dios. Es un grito ensordecedor, que cuando lo logras oír en momentos de profunda intercesión, no se puede dejar de llorar. Dios lo oye todos los días y a todas horas. Dios oye el grito de millones y millones de embriones que gimen anhelando poder vivir, e irremediablemente son asesinados.

¿Sabe, amado lector, de qué magnitud es el clamor y el dolor de madres llevando cargas inaguantables, solas y abandonadas en la vida o con maridos que viven ahogados en alcohol, vomitándose sobre ellas, queriendo luego satisfacer sus apetitos carnales?

Dios me ha permitido vivir el dolor humano en mi carne, de innumerables maneras y ayudando a otros. He pastoreado en zonas de tantas tinieblas, que es indecible el nivel de maldad y de opresión que hay allí. He ido a lugares donde el mal subyuga de tal forma, que se parte el alma. Hay que ser de palo para no sentir dolor cuando se camina por las calles de la India o de África.

Literalmente, se pueden ver los cadáveres de los que mueren de hambre tirados en las calles. Niños comidos por las ratas, en viviendas tan insalubres que no se puede respirar del mal olor. Cuando se camina por los atrios de los templos hinduistas, son ríos de sangre de animales los que corren por los patios, mientras se entregan a los bebés a las potestades del infierno.

Es demasiado doloroso ver las mujeres en los países musulmanes destrozadas, sin vida, vueltas nada, tratadas peor que animales, sin que nadie las libre de la crueldad de sus esposos. En lugares como Haití y en los países budistas, la gente camina como zombis, el alma totalmente poseída por demonios. El reino de la oscuridad es tremendamente cruel y despiadado. No perdona a nadie y destruye de continuo como una gotera que no cesa o como una plaga que nunca se acaba.

"Si ves en la provincia que se oprime a los pobres y se pervierte el derecho y la justicia, no te maravilles: porque sobre uno alto vigila otro

más alto, y uno más alto está sobre ambos".

Eclesiastés 5.8

Dios escucha el dolor de un mundo torturado y se conmueve hasta en la última fibra de su corazón. A caso, ¿no nos damos cuenta en qué forma tan profunda ama Dios al mundo? Quizás para algunos, el que millones se vayan al infierno, les tiene sin cuidado, mientras tengan todas las comodidades y "ofrenden" para que otros hagan el trabajo. Tienen el reino de Dios asegurado, y eso los mantiene en profunda paz; pero para el corazón de Dios no es así.

Cuando dice la Palabra que Jesús llevó nuestros dolores, quiere decir también, que el corazón del Padre siente el dolor de cada ser humano sobre la tierra. El hombre es lo que más ama Dios, lo ama tanto, que dio a su Hijo para que sufriese el peor de los tormentos hasta la muerte.

Amado lector, dese cuenta de algo. Cada uno de nosotros los humanos, somos el ser más querido de Dios. Y todo los días el Padre está mirando cómo sus seres más queridos son violados, ultrajados, asesinados, atormentados por las más infames crueldades que la maldad pueda imaginar, y esto, delante de sus ojos de día y de noche. Imagine por un momento lo que usted sentiría que le violaran y luego destazaran a su ser más querido delante de usted. Eso es lo que siente el corazón de Dios al ver el dolor de los perdidos, y esto es todos los días. ¿No estará Jesús intercediendo desde los cielos para que alguien se levante junto con Él para deshacer las obras del maligno? ¿Usted realmente cree que Jesús no está anhelando que se levante un ejército investido de su autoridad y motivado por la más profunda compasión?

El diablo le está robando la compasión a la iglesia. Sólo una iglesia que entienda el dolor de Dios y sienta en sus huesos el padecimiento de todos los oprimidos por el diablo, se levantará a hacer la guerra, cuéstele lo que le cueste.

Recuerdo una vez que peleaba en el monte más alto del Perú, en contra de la potestad derramadora de sangre que constantemente arrasaba con terribles masacres. El diablo me envió un ataque violento sobre mi corazón físico. Sentía que me moría, no podía dar diez pasos sin sentir que mi órgano vital estallaría en cualquier instante. Oraba con todas mis fuerzas en todo el poder y la autoridad que conocía.

Llegó el momento en que ya no pude avanzar ni un sólo paso. Le dije al Señor: "Ya no sé cómo orar, ¿cuál es la fuerza que necesito para vencer?" En ese momento, el monte se llenó con la gloria de Dios y como un manto de luz visible que descendió desde la cima, nos cubrió por completo. Entonces, oí la voz de Dios que me decía en forma tremendamente sonora: ¡Es mi amor, hija, mi amor es la fuerza más grande de todo el universo! ¡Por amor, harás cosas que no harías en ninguna otra manera!

Entonces, aquella gloria se llenó de rostros de peruanos, y añadió el Señor: "¡Mira cuánto les amo!, ¡mira cuánto les amo!". Todo mi ser se llenó de un amor indescriptible. Fue como una energía que me vigorizó por completo y mi corazón fue instantáneamente sanado. Subimos a las alturas del Huascarán y la historia ha demostrado que algo tremendo fue quitado de los aires del Perú.

Es la compasión y el amor por los que sabes que sufren, lo que forma un corazón de guerra para ir en contra de todo principado y potestad que está arrastrando a millones de almas al infierno. Si no se siente el dolor, si la compasión no inflama el alma, si nuestro anhelo es vivir felices y contentos en una linda casa con un coche en la puerta, no hemos entendido el evangelio de Jesús.

Si nuestras oraciones están solamente dirigidas a nuestras propias necesidades y a las de nuestros seres queridos, y vivimos preocupados de que el diablo nos vaya a hacer cualquier cosa, estamos todavía en necesidad de mucha luz. Si un libro o una enseñanza cae en nuestras manos y el diablo la usa para intimidarnos y nos aleja de nuestro rol de soldados, conduciéndonos a la autoprotección y a guardar nuestras vidas y bienes, entonces no hemos aprendido a amar como Jesús amó.

"Éste es mi mandamiento: Que os améis unos a otros, como yo os he amado. Nadie tiene mayor amor que este, que uno ponga su vida por sus amigos".   Juan 15.12, 13

La guerra tiene riesgos más aún cuando se hace fuera de orden (de esto hablaré más adelante), pero Dios guarda a los que ponen su vida por los demás.

"Todo el que procure salvar su vida, la perderá; y todo el que la pierda, la salvará".

Lucas 17.33

El verdadero amor de Cristo por las almas perdidas le ha costado la vida a muchos misioneros y a sus familias, pero no por eso dejaron de predicar. Hudson Taylor, el gran predicador e intercesor por la China, perdió su mujer en el campo misionero. Wesley perdió a su mujer, la cual fue invadida por demonios que lo querían destruir a él y a su ministerio.

Mary Ethel Woodworth perdió cuatro hijos para ser levantada en el poder milagroso en que Dios la usó. Cuántos hijos de misioneros nunca volvieron a ver a sus padres porque murieron de alguna enfermedad terrible en África. La historia del verdadero evangelio está llena de mártires, hombres y mujeres que menospreciaron sus vidas hasta la muerte para que el Reino de Dios se estableciera.

Como dice el libro de Apocalipsis 12.11:

"Ellos lo han vencido por medio de la sangre del Cordero y de la palabra del testimonio de ellos, que menospreciaron sus vidas hasta la muerte".

Enfrentarse a las tinieblas de su tiempo, le costó la vida a Esteban, a Pedro, a Santiago, a casi todos los apóstoles y a miles de mártires. Puedo llenar libros con nombres de hijos de Dios, que amaron más un mundo perdido que sus propias vidas, que sus bienes y todo lo que amaban de esta vida.

La guerra espiritual es la expresión del mismo corazón compasivo de Dios que no puede descansar mientras haya dolor y maldad en la tierra. Esto es lo que nos impulsa a las más feroces batallas y a combatir cualquier tipo de poderío.

Yo me propuse en mi tierra y en las naciones, donde Dios me ha permitido pelear, que no hay lugar para el diablo y para mí al mismo tiempo. Si Dios me ha entregado una nación no dejaré ni demonio, ni dioses sin consternar. Yo no puedo oír el grito desesperado de una nación en sufrimiento y quedarme con los brazos cruzados, y mucho menos, oír el dolor del corazón de Dios y no dar mi vida hasta la muerte.

Hay demasiada compasión en mi corazón y demasiado

amor por los que sufren como para no pelear dando todo por ellos. Yo sé que hay muchos que no serán conmovidos por las intimidaciones del diablo porque son el verdadero ejército de Dios.

CAPÍTULO
4

Diferentes Tipos De Guerras

1. La Limpieza de la Tierra

En todos los territorios en los que nos disponemos a conquistar, nos encontramos con que la tierra ha sido contaminada por el pecado de los hombres y consagrada por diversos pactos al enemigo. Por esta causa lo primero que tenemos que hacer es purificarla y cancelar los pactos que han sido hechos sobre ella.

> *"Antes en el corazón maquináis iniquidades; hacéis pesar la violencia de vuestras manos en la tierra".*   Salmo 58.2

Para esto es importante entender qué sucedió en la

historia de ese territorio. Como ejemplo, puedo citar los derramamientos de sangre, las consagraciones a dioses paganos hechas por las diferentes culturas, los pecados corporativos como masacres, inquisición, abusos a indígenas o poblaciones minoritarias, depravaciones sexuales para otorgar poder a una potestad de las tinieblas, sacrificios de niños, entre otras cosas semejantes.

Todo lo que se está manifestando en la actualidad en una ciudad tiene como origen el pasado histórico de ese lugar. Por ejemplo, lugares donde se sacrificaron inocentes, da como resultado una fuerte tendencia al aborto. Lugares donde hubo hechicería abunda el ocultismo y la drogadicción. Según Oseas capítulo 4 la prostitución, el adulterio y la fornicación provienen de la idolatría.

"Mi pueblo a su ídolo de madera pregunta, y el leño le responde; porque espíritu de fornicaciones lo hizo errar, y dejaron a su Dios para fornicar. Sobre las cimas de los montes sacrificaron, e incensaron sobre los collados, debajo de las encinas, álamos y olmos que tuviesen buena sombra; por tanto, vuestras hijas fornicarán, y adulterarán vuestras nueras. No castigaré a vuestras hijas cuando forniquen, ni a vuestras nueras cuando adulteren; porque ellos mismos se van con rameras, y con malas mujeres sacrifican; por tanto, el pueblo sin entendimiento caerá".

Oseas 4.12-14

Entonces lo primero que tenemos que hacer es identificar y confesar los pecados y la iniquidad de nuestros antepasados o de los habitantes de esa tierra. El profeta Daniel se humilló de esta manera identificándose con el pecado del pueblo y esto trajo como resultado la liberación de Israel de su cautiverio en Babilonia.

"En el año primero de su reinado, yo Daniel miré atentamente en los libros, el número de los años de que habló Jehová al profeta Jeremías, que habían de cumplirse las desolaciones de Jerusalén en setenta años.

Y volví mi rostro a Dios el Señor, buscándole en oración y ruego, en ayuno, cilicio y ceniza.

Y oré a Jehová mi Dios e hice confesión diciendo: Ahora, Señor, Dios grande, digno de ser temido, que guardas el pacto y la misericordia con los que te aman y guardan tus mandamientos; hemos pecado, hemos cometido iniquidad, hemos hecho impíamente, y hemos sido rebeldes, y nos hemos apartado de tus mandamientos y de tus ordenanzas.

Ahora pues, Dios nuestro, oye la oración de tu siervo, y sus ruegos; y haz que tu rostro resplandezca sobre tu santuario asolado, por amor del Señor". Daniel 9.2-5 y 9.17

Es importante recordar que toda guerra tiene que ser dirigida por el Espíritu Santo. Es a través de sus gemidos indecibles y las lenguas del Espíritu que oraremos como conviene.

"Y de igual manera el Espíritu nos ayuda en nuestra debilidad; pues qué hemos de pedir como conviene, no lo sabemos, pero el Espíritu mismo intercede por nosotros con gemidos indecibles".

Romanos 8.26

Cuentan los biógrafos del gran evangelista Charles Finney que él se recluía en bosques o lugares apartados y se le oía gemir como un oso llorando por la salvación de una ciudad. Yo aprendí esto de él y en muchas ocasiones nos apartamos a los bosques a gemir por un lugar hasta que Dios volteé su rostro y extienda su favor sobre la tierra.

Cuando en 1989 miré México, desolado, casi sin iglesias y gobernado por la reina del cielo y el yugo de un clero inquisidor, me determine a hacer lo que fuera por liberarlo.

Dios me habló de juntar 70 pastores e intercesores para orar dramáticamente. Una noche gemimos por tres horas sin parar, salía sangre de nuestras gargantas caíamos desfallecidos y nos levantábamos. Los más fuertes impartían fuerzas sobre los que se iban debilitando hasta que volvían a surgir. Nada nos detuvo hasta que vimos el cielo de bronce partirse y la luz empezar a brillar.

Yo sé que esa noche cambió la historia de mi país y fue el principio de una guerra que duró siete años hasta ver el avivamiento.

Hicimos muchas campañas de arrepentimiento público. En una de ellas, en la plaza central, el Zócalo de la ciudad de México miles de personas trajeron sus ídolos y los rompimos públicamente pidiendo perdón a Dios por la idolatría de México. En muchas otras ciudades reunimos gran cantidad de gente en las plazas para que públicamente confesaban sus pecados y luego los de la ciudad. La autoridad para pedir perdón por los pecados de otros viene cuando nos atrevemos a confesar los propios. Más adelante hablaré en detalle de esto.

Dios a veces hace prodigios y maravillas para limpiar la tierra de pecado. Cuando tomamos los campos de concentración de Hitler en Polonia, sucedió algo maravilloso. Era el mes de mayo, temporada de sequía en esa nación. El Señor nos dio la instrucción de penetrar el campo de Auschwitz-Birkenau a las tres de la mañana. Nos infiltramos clandestinamente por un bosque hasta encontrarnos sobre los mismos hornos crematorios donde murieron más de 4 millones de personas.

La tierra estaba maldita y diabólicamente pactada por los actos de ocultismo de Fürer alemán. Gemimos en el Espíritu por largo tiempo, pidiendo perdón y clamando por la redención del pueblo alemán y el de Polonia. De pronto el cielo empezó a rugir literalmente, el estruendo de los truenos estremecían al más valiente. Estábamos ante la indignación misma del León de Judá. De pronto hubo un estallido, el cielo entero crujió poderosamente y de la nada empezó una tempestad. Torrentes de agua se desataron del cielo y oímos la voz del Altísimo que decía: "Estoy limpiando la tierra de la sangre derramada". Cuando la lluvia empezó a menguar apareció el sol en el horizonte y un arcoíris doble se extendió de lado a lado sobre el campo de concentración. Estaba amaneciendo y un nuevo día lleno de esperanza llegaba para Europa.

2. El Establecimiento del Territorio

Una vez lavada la tierra hay que establecer fronteras ya que Dios entrega los territorios por límites. Esto es parte de la ley de territorialidad. Cuando Dios le dio la tierra prometida a Israel, determinó los límites de su propiedad y jurisdicción.

"Yo os he entregado, como lo había dicho a Moisés, todo lugar que pisare la planta de vuestro pie. Desde el desierto y el Líbano hasta el gran río Éufrates, toda la tierra de los heteos hasta el gran mar donde se pone el sol, será vuestro territorio". **Josué 1.3**

Una vez que la tierra ha sido delimitada hay que consagrarla a Jehová. Lo primero que hizo Josué antes de tomar la tierra prometida fue establecer un altar al Señor.

> *"Tomad del pueblo doce hombres, uno de cada tribu, y mandadles, diciendo: Tomad de aquí de en medio del Jordán, del lugar donde están firmes los pies de los sacerdotes, doce piedras, las cuales pasaréis con vosotros, y levantadlas en el lugar donde habéis de pasar la noche".*
>
> *Josué 4.2-3*

Este mismo principio es otorgado por Dios a Jacob, para que pudiera establecer Su presencia en la tierra.

> *"La tierra que he dado a Abraham y a Isaac, la daré a ti, y a tu descendencia después de ti daré la tierra. Y se fue de él Dios, del lugar en donde había hablado con él".* *Génesis 35.12-13*

Dios necesita un derecho legal territorial para poder entregar la posesión de la tierra. El establecimiento de altares es como la firma de un contrato de compra-venta que certifica la transferencia a los nuevos propietarios.

> *"Altar de tierra harás para mí, y sacrificarás sobre él tus holocaustos y tus ofrendas de paz, tus ovejas y tus vacas; en todo lugar donde yo hiciere que esté la memoria de mi nombre, vendré a ti y te bendeciré".* *Éxodo 20.24*

En el Antiguo Testamento vemos a grandes hombres de Dios, siguiendo este principio de edificar altares en la tierra, tal es caso de Noé, Moisés, Abraham, Jeremías, David y muchos otros.

La ley de propiedad territorial no sólo es válida espiritualmente sino que es un conocido requisito en lo natural. Cuando usted compra una propiedad, ésta tiene límites que la circundan y usted tiene que firmar el contrato de compra-venta para ser el legítimo dueño.

Recuerde que el enemigo entiende perfectamente sobre asuntos territoriales. Por eso en cada cultura estableció altares y pactos que le dieran el derecho legal de establecer sus principados y gobernadores.

"Porque según el número de tus ciudades fueron tus dioses, oh Judá; y según el número de tus calles, oh Jerusalén, pusiste los altares de ignominia, altares para ofrecer incienso a Baal".

Jeremías 11.13

Los chamanes, los sacerdotes de cada civilización se han encargado de hacer sacrificios en los valles, lagunas, ríos, montes, etc., además de edificar monumentos que demarquen el territorio de cada potestad.

Cuando levantamos un altar a Dios, o varios según la dirección del Espíritu Santo, estamos sellando la tierra con un pacto mayor que cualquiera que hace el diablo. A veces Dios da la instrucción de poner estacas ungidas en varios puntos claves de una ciudad, como pueden ser sus puertas. Otras veces, el Señor manda a poner Biblias y altares de doce piedras.

Nuestro ministerio produce las biblias más pequeñas del mundo, que incluyen los 66 libros completos en un microfilm transparente de 2 x 3 centímetros. Además hacemos altares diminutos de doce piedrecitas ungidos y orados en bolsitas minúsculas. Estos los colocamos junto con las Biblias en lugares estratégicos donde jamás se podría poner algo de mayor tamaño. También hemos delimitado territorios poniendo piedras pintadas de blanco con versículos Bíblicos por cantidades innumerables alrededor de una ciudad.

Cuando tomamos las fuentes del río Rin en Suiza, pusimos un vellón de cordero rociado de aceite y de los elementos de la Santa Cena, simbolizando a Jesús entronándose en Los Alpes. En el Monte Everest pusimos una bandera con todos los nombres de Dios, junto con una menora (candelabro de siete brazos), una réplica del Arca del Pacto y una vara, que simbolizan la vara de Aarón. En cada lugar donde tomamos el territorio Dios nos instruye cómo quiere delimitarlo.

Esto no es un asunto de fórmulas, sino de escuchar al Espíritu Santo.

En mi libro "Los Cielos serán Conmovidos" explico detalladamente los símbolos de guerra, su significado y su uso correcto. También hablo de estratégicas y de diferentes armas de guerra, que sin duda, traerán bendición a su vida. Es importante cuando es posible, rodear el territorio, ungiéndolo y consagrándolo para Jehová. Realizar caravanas de oración, de adoración y guerra espiritual resulta muy efectivo también.

3. Guerra Estratégica a nivel de Actos Proféticos

El siguiente nivel son los actos proféticos. Como su nombre lo indica son actos que desatan el poder del Reino de Dios sobre un lugar. También son usados para confrontar los poderes de las tinieblas y traer juicio sobre ellos.

Algunos ejemplos de actos proféticos en la Biblia son:

a) Josué rodeando Jericó.

"Mas Jehová dijo a Josué: Mira, yo he entregado en tu mano a Jericó y a su rey, con sus varones de guerra. Rodearéis, pues, la ciudad todos los hombres de guerra, yendo alrededor de la ciudad una vez; y esto haréis durante seis días. Y siete sacerdotes llevarán siete bocinas de cuernos de carnero delante del arca; y al séptimo día daréis siete vueltas a la ciudad, y los sacerdotes tocarán las bocinas. Y cuando toquen prolongadamente

el cuerno de carnero, así que oigáis el sonido de la bocina, todo el pueblo gritará a gran voz, y el muro de la ciudad caerá; entonces subirá el pueblo, cada uno derecho hacia adelante".

Josué 6.2-5

b) Gedeón usando teas y cántaros de barro.

"Y repartiendo los trescientos hombres en tres escuadrones, dio a todos ellos trompetas en sus manos, y cántaros vacíos con teas ardiendo dentro de los cántaros. Y les dijo: Miradme a mí, y haced como hago yo; he aquí que cuando yo llegue al extremo del campamento, haréis vosotros como hago yo.

Yo tocaré la trompeta, y todos los que estarán conmigo; y vosotros tocaréis entonces las trompetas alrededor de todo el campamento, y diréis: ¡Por Jehová y por Gedeón!"

Jueces 7.16-18

c) A Jeremías le dice que ponga piedras en el enladrillado de la casa del Faraón.

"Toma con tu mano piedras grandes, y cúbrelas de barro en el enladrillado que está a la puerta de la casa de Faraón en Tafnes, a vista de los hombres de Judá y diles: Así ha dicho Jehová de los ejércitos, Dios de Israel: He aquí yo enviaré

> *y tomaré a Nabucodonosor rey de Babilonia,*
> *mi siervo, y pondré su trono sobre estas piedras*
> *que he escondido, y extenderá su pabellón sobre*
> *ellas".*   *Jeremías 43.9-10*

d) Isaías profetizando que se ha de poner bandera en un monte alto.

> *"Levantad bandera sobre un alto monte; alzad*
> *la voz a ellos, alzad la mano, para que entren*
> *por puertas de príncipes. Yo mandé a mis*
> *consagrados, asimismo llamé a mis valientes*
> *para mi ira, a los que se alegran con mi gloria".*
>   *Isaías 13.2, 3*

Ejemplos como estos los vemos por toda la Biblia, pero no son fórmulas sino instrucciones que tienen que venir de Dios indicando cómo El quiere hacer la guerra y cuáles son los actos proféticos que se tienen que llevar a cabo. En este nivel sólo deben participar profetas, ministerios pastorales y de intercesión profética probados. Gente que califique a nivel de autoridad y de confrontación demoníacas.

Josías destruyó físicamente los altares sobre todos los lugares altos, para que Dios pudiera traer su presencia a la tierra; pero él tenía la autoridad y la orden de Jehová para hacerlo. Toda su reforma está narrada en el capítulo 23 del segundo libro de los Reyes.

"Hizo también sacar la imagen de Asera fuera de la casa de Jehová, fuera de Jerusalén, al valle del Cedrón, y la quemó en el valle del Cedrón, y la convirtió en polvo, y echó el polvo sobre los sepulcros de los hijos del pueblo. Además derribó los lugares de prostitución idolátrica que estaban en la casa de Jehová, en los cuales tejían las mujeres tiendas para Asera".

2 Reyes 23:6-7

En este tipo de guerras, Dios puede dar la orden de ungir un territorio haciendo guerra desde avionetas o helicópteros o incluso entrar a un lugar peligroso tomado por satanistas. El Señor instruye cómo tomar los montes o lugares altos del gobierno del diablo, así como las puertas del infierno, o cómo bajar a las cuevas, o al fondo del océano.

En el 2009 Dios nos llevó a hacer una guerra submarina y por primera vez un equipo de 16 buzos guerreros de alto nivel bajamos a una de las esquinas del Triángulo de las Bermudas. Ahí se encontraba una poderosa puerta del abismo que afectaba una gran parte del continente Americano y Dios nos mostró cómo derribarla. Es importante escuchar las instrucciones del Espíritu Santo y no actuar siguiendo el ejemplo de alguien que escribió un libro acerca de eso.

Para este tipo de confrontaciones tenemos que

considerar, el cómo, el cuándo, el dónde y quiénes. Los tiempos para actuar son determinantes y el claro estudio espiritual de un territorio es indispensable.

Aquí es donde he encontrado que hay más percances y desgracias en la guerra, ya que no se toma en cuenta que la mayoría de los territorios no operan aislados. Los poderes y principados de las tinieblas tienen líneas de comunicación y estaciones de refuerzos organizados.

> *"¿Eres tú mejor que Tebas, que estaba asentada junto al Nilo, rodeada de aguas, cuyo baluarte era el mar, y aguas por muro? Etiopía era su fortaleza, también Egipto, y eso sin límite; Fut y Libia fueron sus ayudadores".*
>
> Nahúm 3:8-9

En este tipo de guerra es importante tener intercesores proféticos de retaguardia, quienes puedan hacerse cargo de ataques inesperados o emboscadas del enemigo. Este tipo de ejército debe poder discernir las artimañas del diablo para proteger a los guerreros de la línea frontal.

No todas las guerras requieren una confrontación frontal con el enemigo. Sitiar una ciudad fortificada y cortarle los suministros de agua y provisión a veces resulta una mejor estrategia. Fue de esta manera que Persia conquistó Babilonia. La sitió y desvió el río que abastecía de agua a la ciudad; luego hizo penetrar a sus ejércitos por el cauce del río y así tomó la ciudad. Una fortaleza espiritual se abastece de derramamientos de sangre y de fornicaciones y abominaciones sexuales. La sangre y el sexo ilícito son las dos fuentes de vida que el diablo usa para fortalecerse. Estos son como ríos de iniquidad que la sustentan y que deben cortarse. Otra provisión que hay que cortar son las finanzas que ayudan a las estructuras del mal.

Una fortaleza tiene avenidas de suministro demoníaco, celestiales, terrenales, marítimas y a través del inframundo. Estas deben de ser cortadas y secas antes de empezar la pelea.

4. Guerras en la Dimensión del Espíritu.

Este tipo de guerra es totalmente profética y se lleva a cabo en las esferas del Espíritu. Esta es la forma más eficiente y segura de organizar un ataque. Para realizarla se necesitan guerreros muy experimentados. Gente que pueda ver en el mundo espiritual cómo están conformadas las estructuras de las tinieblas sobre una ciudad.

Cuando nosotros hacemos una guerra para liberar un territorio, llevamos guerreros de este nivel. También invitamos pastores e intercesores que se estén desarrollando, pero que por lo menos tengan experiencia en guerra estratégica a nivel de actos proféticos.

Formamos entonces un grupo central no mayor a doce

guerreros y ponemos a los demás alrededor nuestro. Los únicos que tienen libertad de hablar lo que ven y oyen en el mundo espiritual son los doce. Los demás forman una barrera de apoyo y normalmente Dios incluye a la mayoría de ellos en ver y oír todo lo que está pasando. Su función es cubrirnos y estar preparados para el ataque cuando Dios de la orden.

Entonces oramos a Dios y entramos en el Espíritu para que el Señor nos revele cómo está conformado el mundo invisible sobre la ciudad o región que hemos sido enviados a liberar.

Jesús dijo:

"De cierto, de cierto os digo: No puede el Hijo hacer nada por sí mismo, sino lo que ve hacer al Padre; porque todo lo que el Padre hace, también lo hace el Hijo igualmente". Juan 5:19

Este es uno de los principios más importantes del Reino de Dios. No hacer nada que no veamos primero hacer al Padre. Jesús nos envió en el mismo poder en el que Él fue enviado por el Padre.

"Como tú me enviaste al mundo, así yo los he enviado al mundo". Juan 17:18

Para esto tenemos que estar llenos del Espíritu Santo y

ejercitados en el don de la profecía y en el conocimiento del ámbito profético. Lo profético no es sólo decir: Así dice el Señor, sino internarnos en el Reino de Dios y Su sabiduría. La palabra dice que el testimonio de Jesús es el Espíritu de la profecía. (Apocalipsis 19:10) Esto se lo dice el ángel a Juan cuando el apóstol se encuentra inmerso en las regiones celestiales, dándole a entender que todo lo que veía y oía en ese ámbito estaba siendo testificado y revelado por Jesús.

Es en esa atmósfera del Espíritu que Juan ve las estructuras de la Gran Babilonia y su sentencia, así como las de la bestia, el falso profeta y el abadón. Entramos en este nivel de la guerra siguiendo el modelo en el que se desarrolla el libro del Apocalipsis.

Primero, Juan entró en el Espíritu y ahí oyó y vio el mundo espiritual.

"Yo estaba en el Espíritu en el día del Señor, y oí detrás de mí una gran voz como de trompeta..."
Apocalipsis 1:10

Segundo, fue llevado a una dimensión más profunda tras pasar por una puerta en el cielo, donde se presentó frente al Trono de Dios para ver y oír las cosas que estaban por suceder.

Tercero, Dios le muestra cómo opera el cielo y cómo se

ejecutan los juicios y las sentencias del Altísimo. En nuestro caso, Dios nos tiene que conceder este nivel de guerra. El camino al cielo y al Trono de Dios fue ya abierto por medio de la Sangre de Cristo al momento en que se rasgó el velo del templo.

Dios está levantando guerreros que tienen acceso y autoridad en estas esferas. Es ahí donde Dios nos muestra todas las estructuras de las tinieblas y nos da instrucciones de cómo confrontarlas. Se nos asignan ángeles que pelen junto con nosotros y se nos asignan armas, de esta manera la batalla es sumamente poderosa.

"Estruendo de multitud en los montes, como de mucho pueblo; estruendo de ruido de reinos, de naciones reunidas; Jehová de los ejércitos pasa revista a las tropas para la batalla. Vienen de lejana tierra, de lo postrero de los cielos, Jehová y los instrumentos de su ira, para destruir toda la tierra". Isaías 13:4-5

Más adelante en este libro veremos la interacción de los ángeles en las batallas de los santos.

Una vez peleada la batalla en el mundo espiritual, ejecutamos en la tierra las acciones proféticas que vivimos en el espíritu. Al hacer esto, estamos uniendo los cielos y la tierra y estableciendo lo que sucedió en el mundo invisible sobre el visible.

La bendición de este tipo de guerra es que cuando hacemos los actos y declaraciones proféticas en el territorio, ya están vencidas las potestades en el mundo espiritual y así evitamos cualquier contraataque.

En el capítulo uno, mencioné acerca de una guerra que peleamos en Uganda contra uno de los brujos más temibles de África. El éxito de esa batalla, se debió a que primero peleamos en el mundo espiritual en contra de todos los espíritus ancestrales, que ayudaban al brujo. Fue una batalla maravillosa donde los ángeles se llevaron cautivos a todos esos espíritus. Esto lo hicimos en una casa en las faldas de la montaña donde moraba el hechicero. Luego, cuando subimos a confrontar al brujo se dejó ver el efecto de lo que habíamos hecho.

El hombre estaba furioso, nos arrojaba todo tipo de polvos de la muerte y embrujos. Gritaba a voz en cuello a sus espíritus ancestrales para que nos arrestaran y no nos dejaran hasta que todo el mal hubiera venido sobre nosotros. Para su sorpresa estos no le respondían por más que hacía sus artes de magia y conjuros, ya que los ángeles se los habían llevado.

Desesperado por su falta de poder para dañarnos, llamó a la policía. Cuando llegaron los oficiales, una buena cantidad del pueblo subió al monte a ver lo que pasaba, lo que el Señor usó a favor de su Reino. El fuego del Espíritu estaba sobre nosotros, y ángeles con espadas flamígeras rodeaban la cabaña del chamán. Este, quien veía los ángeles, corrió hacia la policía acusándonos de querer quemar su casa. Pero los oficiales no veían más que a los hermanos y a la gente del pueblo y lo tomaron por loco mandándolo a callar.

El pastor entonces envalentonado por todo lo que estaba pasando tomó la palabra y les predicó con denuedo el evangelio a todos los reunidos. La mitad del pueblo calló rendido al suelo entregando sus vidas a Jesucristo.

¡Gloria a Dios!

Esta guerra hubiera tenido otro resultado de no haber peleado correctamente en el mundo espiritual.

CAPÍTULO
5

¿Quiénes son los Llamados para la Guerra?

"...Del que yo te diga: "Vaya este contigo", irá contigo; pero de cualquiera que yo te diga: "Que este no vaya contigo", el tal no irá".   Jueces 7.4

1. Un Ejército escogido por Dios.

Aunque todos somos el ejército de Dios y tenemos una parte en la batalla, no todos son llamados a pelear en el frente, contra principados y potestades territoriales. Dios tiene personas escogidas, sobre los cuales Él ha puesto una carga para liberar naciones y una unción de guerra particular para vencer en esos niveles.

En el Antiguo Testamento, Dios se muestra como un Dios de milicia. De hecho, uno de sus nombres es: "Varón de Guerra". A través de observar y entender cómo Jehová intervino para liberar a su pueblo tantas veces en batalla, podemos darnos cuenta de cómo Él sigue actuando en este sentido.

Cada vez que Dios ordenó una guerra, siempre tuvo un escogido sobre el cual la unción vencedora del Altísimo se posaba. El mayor ejemplo es el rey David. Desde pequeño, el Señor se manifestó a su vida con una poderosa unción para combatir. No todos tenían esta unción. Cuando peleó contra Goliat, todo el resto del ejército de Israel estaba en derrota y subyugado a lo que el gigante y los filisteos querían.

En este caso, Dios usó un sólo hombre para cambiar el destino de Israel. Cualquier otro que hubiese peleado hubiera muerto, pero Dios se mueve a través de personas escogidas. Más adelante, esa misma unción vino sobre el ejército de sus valientes. Éstos eran hombres abatidos y endeudados, escondidos en una cueva llamada Adulam, pero cuando vieron la unción de quien se convirtió en su caudillo, la anhelaron, la recibieron y fueron transformados en grandes hombres de Guerra. ¡El dolor hace revolucionarios!

Hoy, Dios tiene sus generales de guerra, llamados y ungidos para liberar ciudades y países. Son coberturas genuinas, vidas probadas en tremendos fuegos, capaces de transmitir la unción y liderar grandes ejércitos en victoria. Desgraciadamente, hay otros que, quizás, impulsados por un auténtico deseo de ver conquistadas sus ciudades, se lanzan a la guerra sin el llamado y sin la unción. Esto, desafortunadamente ha traído accidentes y desgracias, en los que lo intentaron y sobre los que los siguieron. Y lo que es peor, estos errores son ahora el arma que el diablo está usando para intimidar al ejército de Dios.

La guerra espiritual no es un asunto que se pueda tomar a la ligera, es una batalla contra un enemigo real, terriblemente engañador y astuto. Requiere de preparación y tiene reglas muy estrictas. El hacer las cosas simplemente por entusiasmo, sin un pleno entendimiento, sin un llamado desde lo alto y sin la unción que se requiere, sin lugar a dudas, tiene consecuencias serias.

Una experiencia que puede darnos luz en este sentido, como una analogía, es el llamado y la guerra peleada por Gedeón. Lo primero que encontramos en esta historia, es al pueblo de Israel devastado por Madián, sus cosechas robadas y gran angustia sobre la gente. Ellos claman a Dios, y Dios se manifiesta a un hombre: Gedeón. Dios lo llama, le da la autoridad para vencer y es el Señor, quien decide quiénes serán su ejército.

"Entonces vino el ángel de Jehová y se sentó debajo de la encina que está en Ofra, la cual era de Joás abiezerita. Gedeón, su hijo, estaba

sacudiendo el trigo en el lagar, para esconderlo de los madianitas, cuando se le apareció el ángel de Jehová y le dijo: Jehová está contigo, hombre esforzado y valiente". Jueces 6.11, 12

Gedeón reúne a todo el ejército, pero Dios le dice:

"Hay mucha gente contigo para que yo entregue a los madianitas en tus manos, pues Israel puede jactarse contra mí, diciendo: "Mi mano me ha salvado". Ahora, pues, haz pregonar esto a oídos del pueblo: "Quien tema y se estremezca, que madrugue y regrese a su casa desde el monte de Galaad". Regresaron de los del pueblo veintidós mil, y quedaron diez mil. Jehová dijo de nuevo a Gedeón: «Aún son demasiados; llévalos a beber agua y allí los pondré a prueba. Del que yo te diga: "Vaya este contigo", irá contigo; pero de cualquiera que yo te diga: "Que este no vaya contigo", el tal no irá». Entonces Gedeón llevó el pueblo a las aguas, y Jehová le dijo: «A cualquiera que lama las aguas con la lengua como lo hace el perro, lo pondrás aparte; y lo mismo harás con cualquiera que doble sus rodillas para beber». El número de los que lamieron llevándose el agua a la boca con la mano fue de trescientos hombres; el resto del pueblo dobló sus rodillas para beber las aguas". Jueces 7.26

Aquí vemos cómo Dios selecciona a su ejército. Los trescientos, eran personas que estaban alerta, llevaban el agua a su boca, pero sus ojos estaban atentos a todo lo que sucedía alrededor. Esto los hacía soldados inteligentes y fáciles de dirigir. Los que se tiraron a lamer el agua, sin ninguna precaución, simbolizan los que hacen las cosas de cualquier manera; los que quieren ir a la guerra, pero no se ocupan de cumplir los requisitos; los que hacen las cosas quizás por fe, pero no con la dirección total del Espíritu Santo.

Hoy día, hay magníficos autores que han escrito sobre guerra espiritual, "Mapeo" (estudio de las columnas de iniquidad en un territorio), estrategias de batalla, entre otros. Pero éstos no son más que apoyos, que nos ayudan a tener más luz de algo que Dios mismo ya ha empezado a hablar en el corazón del verdadero guerrero.

El problema surge cuando se toman las experiencias de otros como si fueran un manual de operación, y se hacen fórmulas de estrategias que fueron dadas para un lugar específico, con condiciones y demonios que pertenecían a esa guerra en particular. Leer libros y predicar sobre guerra, no significa que alguien esté listo para enfrentar un combate, a veces, de gran magnitud.

2. ¿Quiénes no pueden participar en una Guerra?

"Después volverán los oficiales a hablar al pueblo y dirán: "¿Quién es hombre medroso y pusilánime? Que se vaya y vuelva a su casa, para que no apoque el corazón de sus hermanos como ocurre con el corazón suyo".

Deuteronomio 20.8

Es un error involucrar en una guerra a personas temerosas e inmaduras, que no tienen una posición clara de la grandeza de Dios frente al diablo. Gente cuyas almas necesitan ser sanadas, y en muchos casos, liberadas. Estas personas, debido a sus temores no resueltos, se vuelven fáciles blancos del enemigo. Por el momento sólo me estoy enfocando a la selección divina, más adelante menciono otros factores importantes para clasificar quiénes no deben participar en la guerra.

3. ¿Quiénes califican para una Guerra de Alto Nivel?

a) Autoridad profética y apostólica

La guerra espiritual pertenece a las esferas estrictamente proféticas y apostólicas. Cada ministerio tiene un nivel de autoridad y de unción que le da la habilidad divina de funcionar en aquello a lo que Dios lo llamó.

Todos son llamados y ungidos, pero no todos tienen la misma función. Confundir los límites de acción de un ministerio trae consecuencias, que irremediablemente afectan al cuerpo de Cristo en general.

Por ejemplo, cuando un profeta es pastor de una Iglesia, pero no tiene un ministerio pastoral, la Iglesia recibirá palabra, por lo general tajante, profunda y, a veces, de mucha confrontación. Esto hará que los fieles reciban poco cuidado de sus necesidades particulares y de sus problemas. Cuando un evangelista quiere fungir como pastor, por lo general, habrá mucha motivación para evangelizar manifestaciones de poder, pero en muchos casos, poca profundidad en la Palabra. Lo mismo sucede cuando pastores, maestros y evangelistas, quieren penetrar las áreas de autoridad profética o apostólica. Por lo general, habrá confusión, la dirección no será clara y esto, lógicamente, traerá problemas.

En cuestión de incurrir en el mundo espiritual, para discernir los poderes de las tinieblas y las estrategias para derribarlos, sólo los profetas o los ministerios con unción profética (pastores-profetas, maestros-profetas, apóstoles-profetas) pueden hacerlo en el orden correcto, lo mismo que los apóstoles.

El orden y la autoridad son cruciales en un ejército, y esto es una ley y un principio que no puede ser trastocado. Es como en una guerra en lo natural. ¿No sería terriblemente peligroso que un capitán de la armada de los Estados Unidos se fuera por su propia cuenta a bombardear Irak? Desde luego que sí.

La guerra contra poderes territoriales tiene que ser de igual manera una organización militar con estrategias claras, con armas adecuadas y con el ejército necesario, desde los generales hasta la infantería, todos en perfecto orden y armonía.

b) Una selección celestial

La Biblia dice, en el libro de Proverbios 24.6:

"...harás la guerra con inteligencia..."

En 1999, Dios empezó a desvelar dentro de mí una visión que me sacudía de horror. Veía la fuerza aplastante del imperio de tinieblas, cuyos ejércitos estaban organizados, sus generales coordinados y sus frentes de apoyo perfectamente distribuidos sobre la tierra. Todos peleaban por una misma causa. Sus principados y gobernadores estaban unidos y perfectamente estructurados para llevar a cabo los planes de satanás en las más altas esferas políticas, económicas y religiosas sobre la faz del planeta.

Tenía colocados a impresionantes jerarcas de las tinieblas bajo la forma de sociedades secretas. No sólo gobernaba en los ámbitos visibles de los gobiernos terrenales, sino que protegía sus diabólicos planes a través de poderes subterráneos que eran indetectables en la superficie y, por tanto, casi indestructibles.

Tenía redes de nutrición y abastecimiento que lo fortalecían desde todas partes del mundo. Millones de demonios salían por todo el mundo incitando a las personas a pecar y a derramar sangre. Esto hacía que los muros de sus fortalezas se hicieran más robustos e infranqueables. Tenía bajo su control las riquezas de los poderosos de la tierra. Vi a sus ejércitos obedecer, aún cuando eran enviados a destruir iglesias y a acabar con los ministros de Dios. Los más atacados eran los que estaban solos. Los vi entrando a las iglesias y, prácticamente, no había oposición cuando eran enviados espíritus de soberbia, autosuficiencia, chisme, división, sexo, codicia y poder. Vi a la Iglesia como pequeñas lucecitas dispersas en las naciones, queriendo luchar contra un gobierno organizado y terriblemente macabro.

Mientras mi corazón se compungía con la visión, Dios confortaba mi alma y me decía: "no desmaye tu corazón ante la visión, porque el tiempo ha llegado en que yo manifestaré mi gobierno sobre la tierra. Yo he unido los cielos y la tierra y estoy escogiendo a los que gobernarán a mi lado". Mientras hablaba conmigo, como un relámpago, venía a mi espíritu la palabra que dice:

*"Pelearán contra el Cordero, y el Cordero los vencerá, porque es Señor de señores y Rey de reyes; **y los que están con Él son llamados, elegidos y fieles"**.* Apocalipsis 17.14

Aquí vemos que el pelear al lado del Cordero, una batalla contra una alta jerarquía demoníaca, no es para todos. Dios ha escogido a este ejército y lo ha hecho por causa de la fidelidad de ellos. La fidelidad de éstos tiene que ver con profundos niveles de cruz, de negación y de valentía. Personas que pueden dar pasos de obediencia con consecuencias en desfavor de ellos mismos. Soldados cuya prioridad es el seguir a Dios aunque les cueste la propia vida; éstos son los que tienen poder contra satanás mismo.

"Ellos lo han vencido por medio de la sangre del Cordero y de la palabra del testimonio de ellos, que menospreciaron sus vidas hasta la muerte". Apocalipsis 12.11

Hay obediencia a Dios que todos pueden llevarla a cabo, esto es, sus mandamientos y nuestras actitudes cristianas, pero hay órdenes de alto nivel de obediencia, que nos conducen a ser escogidos por Dios o que nos eliminan de sus altos propósitos.

La guerra en las esferas celestes requiere guerreros sin miedo, soldados eficaces, a quienes Dios pueda dirigir con una simple mirada. Personas que sean como el aire, a quienes el Señor pueda soplar hacia donde Él quiera porque no tienen arraigos en la tierra. Aquí, el valor y el arrojo para pelear no son las cualidades primordiales, sino el nivel de muerte interior. Hay órdenes divinas que marcan el que unos sigan y otros se vuelvan atrás. Recuerdo las preguntas que Dios me hizo cuando me dio la misión de subir al monte más alto del mundo, el Monte Everest. La primera pregunta fue: "¿Qué tanto anhelas la liberación de la ventana 10/40 si te digo que no te estoy garantizando que regresarás con vida?" La ventana 10/40 era la zona menos evangelizada del mundo en los años 90.

Pocos saben lo que se siente despedirse de sus hijos cuando, llenos de lágrimas, te preguntan: "¿Mami, Dios te dijo que vas a regresar, verdad?", y tú sabes la respuesta dentro de ti. Otra fue: "¿y qué, si te pido el precio de llevarme a uno de tus seres más queridos para liberar la fortaleza del Everest?" Nada es más espantoso que ver una balanza en la que de un lado pende uno de tus seres más amados y del otro, millones de almas siendo jaloneadas al infierno.

Una más fue: "¿Estarían dispuestos a ir a la cárcel en Nepal para que yo rompa las cadenas de sus cautivos?" Ésta era, desde luego, la más fácil. Y las tres cosas estuvieron a punto de suceder. Así como Dios libró a Abraham de matar a su hijo, después de que se lo había pedido en sacrificio, así también Dios cambió su decreto cuando a todo le dije que sí y lo hice. Es necesario que Dios nos ponga a prueba para ser escogidos, porque los niveles de miedo, de confusión y de dolor tienen que ser vencidos antes de empezar la batalla.

c) Guerreros de luz

Los escogidos son guerreros adiestrados en la luz, ya que la luz de Dios es lo único que puede disipar las tinieblas. La palabra dice:

> "...porque las armas de nuestra milicia no son carnales, sino poderosas en Dios para la destrucción de fortalezas".
>
> *2 Corintios 10.4*

También dice:

> "Desechemos, pues, las obras de las tinieblas y vistámonos de las armas de la luz".
>
> *Romanos 13:13*

La luz es el arma más poderosa que existe, ya que ningún demonio puede resistirla. La luz es Dios mismo. En asuntos de guerra, no se trata tan sólo de un asunto teológico, en el que posicionalmente somos luz, sino de ser verdaderas lumbreras que produzcan la luz del Altísimo. El verdadero conflicto es una confrontación entre la luz y las tinieblas. Como dice el apóstol Juan:

"En Él estaba la vida y la vida era la luz de los hombres, la luz en las tinieblas resplandece y las tinieblas no prevalecieron frente a la luz".

Juan 1.4, 5

Un principio es que: **La oscuridad se torna insustancial frente a la luz.** Yo no tengo que gritarle durante tres horas a la oscuridad para que se vaya cada vez que enciendo un foco en mi casa. A la manifestación instantánea de la luz, las tinieblas automáticamente desaparecen. Ahora, si Jesús es la luz que mora en nosotros, ¿por qué no desaparecen las tinieblas alrededor nuestro en forma inmediata? La respuesta es que aún una gran parte de la luz está velada por causa de estructuras reales y sustanciales que el diablo ha edificado a través de los hombres. Estos velos de oscuridad producen el efecto de un foco que ha sido cubierto por un caparazón sólido alrededor de él. La luz existe, es real, mora en los creyentes, pero está velada por las fortalezas del mal.

Una cosa va a ser entonces: **la presencia de la luz** en la vida de los que han sido hechos hijos de Dios, y otra cosa **su manifestación** visible a través de la vida del creyente. Hay una importante diferencia entre la presencia de las virtudes divinas y su plena manifestación en nosotros. Una persona recién convertida tiene, por la fe, la presencia de todos los atributos y el poder de Dios, sin embargo, no son manifiestos en forma inmediata. Es a través del rompimiento del ser interior y de entender los principios que producen la manifestación de la luz y del reino de Dios, que esto va a ser visible a los ojos de los demás. La luz se produce en la cruz. Es en la muerte de Jesús, que es liberado el poder de Dios para vencer al diablo. Ésta es la única arma con la cual satanás sabe que no puede luchar en contra ella. El reino de las tinieblas sabe perfectamente, quiénes están clavados en la cruz y quiénes nada más hablan de la cruz.

La luz tiene como función exponer todas las cosas y hacerlas visibles a los ojos de todos. En la cruz, Jesús trajo a la luz el pecado de todos nosotros. Él no sólo murió por todos los hombres, sino que lo hizo públicamente. Él fue contado entre los pecadores y su desnudez en el Calvario representa la forma en que expuso las transgresiones del ser humano. Por eso, el que viene a la luz, lo hace como Jesús lo hizo, exponiéndose a sí mismo a través de la confesión de sus pecados.

Hay pecados de ignorancia o de actitud que podemos confesar al Padre en los cielos, pero el pecado meditado y cometido tiene que ser confesado.

La Biblia dice:

"Confesaos vuestras ofensas unos a otros y orad unos por otros, para que seáis sanados. La oración eficaz del justo puede mucho". **Santiago 5.16**

La confesión del pecado es algo que prácticamente nadie hace en la Iglesia de hoy. Sin embargo, es bíblico y nos conduce a profundos niveles de luz. La misma palabra confesar quiere decir: Expresar públicamente. Ésta es la misma palabra que usamos cuando le decimos a alguien:

"Porque con el corazón se cree para justicia, pero con la boca se confiesa para salvación".

Romanos 10.10

Sabemos que esto no significa meterse al cuarto y decirle a Dios en lo secreto que Él es tu Salvador.

Veamos lo que dice la Escritura:

"Este es el mensaje que hemos oído de él y os anunciamos: Dios es luz y no hay ningunas tinieblas en él. Si decimos que tenemos comunión con él y andamos en tinieblas, mentimos y no practicamos la verdad. Pero si andamos en luz, como él está en luz, tenemos comunión unos con otros y la sangre de Jesucristo, su Hijo, nos limpia de todo pecado".   *1 Juan 1.5-7*

Fíjese cómo la consecuencia de andar en la luz es que tenemos comunión unos con otros. Lo increíble es que la Iglesia que dice que está en luz, curiosamente, lo que menos tiene es comunión los unos con los otros.

La razón es que no confesar el pecado y traerlo a la luz, nos hace caminar "en encubierto", esto es, en tinieblas, y es precisamente en esta condición, que perdemos todo el poder para pelear contra el diablo. Andar en encubierto (sin confesar el pecado) es el territorio del enemigo, y es ahí donde él tiene toda la autoridad para atacarnos.

La exposición del pecado es luz. Es una manifestación de gran humildad, es penetrar la cruz en desnudez, como lo hizo Jesús. La verdad es que cuando los demás conocen tus pecados, el diablo ya no tiene armas para pelear contra ti.

Confesar el pecado es doloroso cuando se hace con un corazón contrito, pero es tremendamente liberador. Te conduce a un genuino arrepentimiento para nunca más volver a cometer esa transgresión.

Una de las funciones del Espíritu Santo es remitir el pecado que ha sido confesado, y ésta es otra de las cosas que la Iglesia ha dejado de hacer. Esto es importantísimo en guerra espiritual, ya que no podemos adentrarnos en las regiones tenebrosas del enemigo sin que nuestro pecado haya sido remitido.

"Recibid el Espíritu Santo. A quienes perdonéis, los pecados les serán perdonados, y a quienes se los retengáis, les serán retenidos".

Juan 20.23

Éste es, quizás, el mayor problema que ha causado daños en el campamento de Dios al incurrir en batalla. Salir a pelear, sin la remisión de nuestros pecados, nos convierte en blancos seguros para el enemigo. Es lo mismo que ir en una misión nocturna con un faro alumbrándote y un micrófono alardeando el lugar de tu posición.

Mi equipo de guerra y yo, hemos peleado poderosas batallas contra temibles poderes de las tinieblas en el segundo cielo, y una de las cosas que hacemos siempre, es pasar varios días encerrados confesando todos los pecados, actitudes, pensamientos y sueños. Hemos entendido que esta parte es vital en la batalla y lo que nos da la más poderosa protección de parte de Dios.

El nivel de confesión determina el nivel en que somos expuestos, y el nivel de exposición, determina el nivel de luz que proyectamos. Dios requiere de nosotros, para perdonarnos y limpiarnos, que le confesemos nuestro pecado a algún hermano lleno del Espíritu Santo y que éste lo remita a Dios. Sin embargo, hay un tremendo poder en el nivel en que nos humillamos y nos exponemos ante los demás.

Una confesión pública, ante la congregación, conlleva a un nivel de cruz impresionante. Esto es, desde luego, la prerrogativa de cada uno. Pero quien lo hace en total humildad para morir a toda su carne, tiene de Dios un galardón gigantesco y un nivel de luz poderosísimo en la batalla contra el mal. En uno de los actos de obediencia de alto nivel, que Dios me pidió, fue el confesar mis pecados y mis fracasos, por tres años consecutivos, ante cada congreso al que era invitada alrededor del mundo.

Por dondequiera que el diablo quería atacarme, era inmediatamente desarmado. Fue horrible, sufrí muchísimo cada vez que tenía que hacerlo, sobretodo en lugares tremendamente legalistas y religiosos, pero cada vez que lo hacía, veía a satanás caer como un rayo. Cuando entraba en batalla y aún cuando ahora lo hago, la luz de Dios resplandece a distancia en mi vida y veo los demonios caer como pájaros fulminados. ¡A Dios sea toda la gloria!

Hemos conducido cruzadas de arrepentimiento público de pecado, y literalmente, hemos oído los cielos tronar en un estallido sobrenatural cuando los pastores y las personas se empiezan a humillar y a confesar sus pecados. Y qué fácil es, entonces, pelear cuando todo el pueblo está literalmente inmerso en Su sangre y en Su perdón. ¡Aleluya!

d) Los cielos pelean con los escogidos.

Dios tiene dos tipos de ejércitos, los celestiales y los terrenales, y los dos interactúan cuando el Señor llama a la batalla.

En muchas partes de la Biblia, los vemos operando juntos. Para Eliseo, esto era tan obvio, que cuando se vio rodeado por sus enemigos, permaneció en perfecta paz, sabiendo que estaba más que protegido en medio de la agresión.

> *"Y el rey envió allí gente de a caballo, carros y un gran ejército, los cuales llegaron de noche y sitiaron la ciudad. El criado que servía al varón de Dios se levantó de mañana y salió. Al ver que el ejército tenía sitiada la ciudad, con gente de a caballo y carros, dijo a Eliseo:—¡Ah, señor mío! ¿qué haremos? Eliseo respondió: —No tengas miedo, porque más son los que están con nosotros que los que están con ellos. Y oró Eliseo, diciendo: «Te ruego, Jehová, que abras sus ojos para que vea». Jehová abrió entonces los ojos del criado, y este vio que el monte estaba lleno de gente de a caballo y de carros de fuego alrededor de Eliseo".* 2 Reyes 6.14-17

Otro maravilloso pasaje es el gran juicio del monte de Babilonia:

> *"Yo mandé a mis consagrados y así mismo llamé a los valientes de mi ira, a los que se alegran con mi gloria.*
> *Estruendo de multitud en los montes, como de mucho pueblo, estruendo de ruido de reinos, de naciones reunidas: ¡Jehová de los ejércitos pasa revista a sus tropas para la batalla! Vienen de*

lejana tierra, del extremo de los cielos, Jehová y los instrumentos de su ira, para destruir la tierra".   *Isaías 13:3-5*

Una vez más, vemos que Dios tiene instrumentos escogidos, personas consagradas y valientes para pelear la guerra. Lo que estamos leyendo aquí no es cualquier batalla, es un combate a muy alto nivel y con consecuencias que afectan toda la tierra.

En la confrontación con altas jerarquías demoníacas, Dios siempre envía a sus tropas celestes, quienes son las que llevan a cabo la parte más difícil de la pelea. En la gran mayoría de los casos, el Señor nos permite llegar hasta cierto grado en el peligro del ataque, y su gracia y sus ángeles hacen lo que nosotros no podemos hacer.

Sin embargo, cuando un guerrero en la tierra ha ascendido suficientemente en rango, Dios le dará, en algunas ocasiones, el honor de pelear frente a frente en contra del diablo, y los ángeles lo asistirán.

Son muy pocos en la tierra los que han tenido este privilegio, y esto es únicamente Dios quien lo concede. Se necesita vencer en muchas batallas, y adquirir experiencia y valor en el Espíritu Santo para que el Señor otorgue esta maravillosa asignatura.

En el libro de Apocalipsis 12.7-10, Dios nos muestra una

batalla en la que claramente se ve el desarrollo de los dos ejércitos interactuando.

> *"Entonces hubo una gran guerra en el cielo: (Note que la batalla es en el cielo) Miguel y sus ángeles luchaban contra el dragón. Luchaban el dragón y sus ángeles, pero no prevalecieron ni se halló ya lugar para ellos en el cielo. Y fue lanzado fuera el gran dragón la serpiente antigua, que se llama diablo y Satanás, el cual engaña al mundo entero. Fue arrojado a la tierra y sus ángeles fueron arrojados con él. Entonces, oí una gran voz en el cielo que decía: "Ahora ha venido la salvación, el poder y el Reino de nuestro Dios y la autoridad de su Cristo, porque ha sido echado fuera el acusador de nuestros hermanos, el que los acusaba de día y de noche".*

Ahora note cómo la misma voz en el cielo declara quiénes le han vencido. No dice Miguel y sus ángeles le han vencido, sino que dice:

> *"Ellos le han vencido, por medio de la sangre del Cordero, por medio de la palabra del testimonio de ellos, que menospreciaron sus vidas hasta la muerte".*   *Apocalipsis 12:11*

Y éstos son, obviamente, los santos escogidos de Dios.

La voz en el cielo declara al diablo vencido, y los guerreros lo anuncian en la tierra. Hay quienes piensan que los hijos de Dios no pueden enfrentar batallas contra el diablo mismo y menos en regiones celestes. Sin embargo, aquí vemos esta tremenda batalla en la que, quienes vencen, son precisamente los hijos del Altísimo.

El diablo es declarado vencido en la batalla, no en tanto, sigue actuando en la tierra en contra de la Iglesia (como continúa narrando el resto de capítulo). Luego, el traerse abajo los poderes de las tinieblas del cielo a la tierra, no necesariamente tiene una repercusión de total eliminación, pero sí es claro, que al ser quitados de las regiones celestes, han perdido su mayor fuerza de acción y Dios los declara vencidos.

e) Nuestras Armas son poderosas en Dios.

La guerra espiritual es un asunto del Espíritu. La unción para hacer la guerra y la gracia de Dios para darnos la victoria, son el resultado de una vida llena de Dios.

Sin embargo, hay personas que quieren pelear ignorando las leyes básicas de protección personal y de la inteligencia para hacer la guerra, trayendo graves consecuencias. **Las armas que Dios nos dio son poderosas en Dios para la destrucción de fortalezas.**

Y la armadura con que nos revestimos, no es cualquier

armadura. **La Biblia dice que es la armadura de Dios.** Éstas no son cosas ligeras que pueden ser vencidas así porque sí. Sin embargo, la gran mayoría de los guerreros no saben cómo ponérsela ni cómo usar las armas. Este desconocimiento conduce a enfrentar la batalla en la carne. Leí una vez que alguien escribió: **"Todas las mañanas declara que te estás poniendo toda la armadura de Dios y así estarás protegido".**

Desgraciadamente, la armadura de Dios no viene sobre nosotros porque hacemos una declaración profética. Esta armadura implica estar establecido en posiciones celestiales inexpugnables como lo son: la verdad, la salvación, la justicia, el amor, la fe, el apresto del evangelio y la íntima comunión con la palabra revelada de Dios, los remas de Su palabra, y desde esas posiciones, pelear en el mundo espiritual.

La armadura de Dios no proviene de la hipocrecia llena de falsedad y mentira, ni del clamor que pone el cinto de la verdad, o de gente injusta, rebelde, chismosa, cuyas lenguas están contaminadas de veneno, clamando que se ponen la coraza de la justicia o la coraza del amor; o personas que no tienen fe ni para sus propias finanzas, atribuladas por miedos de toda índole, proclamando que toman en sus manos, proféticamente, el escudo de la fe.

Todo esto, no es más que hacer el ridículo y pelear en la total ignorancia con armas de carne. Lo que están haciendo al pelear en su carne, es igual que arrojarle hachas a la luna o piedras al sol.

La armadura de nuestro Dios es perfecta, es indestructible, es poderosísima, pero se adquiere en la medida en que nos convertimos en ella. Un guerrero que pelea por el Espíritu del Dios viviente, es un hombre o una mujer impregnado de la verdad, que abomina la falsedad y la mentira, un hombre lleno de justicia y de amor, que ama en las condiciones más adversas y más contrarias a sí mismo. Es un hombre lleno de salvación interna, santo en todos sus caminos, que aborrece toda forma de mal y de impiedad, cargado de la fe de Dios porque le conoce y Dios a él. Es un hombre de relación íntima con el Altísimo y de relaciones llenas de benignidad con sus hermanos, lleno de compasión y listo para predicar bajo cualquier circunstancia.

Éste es el hombre o la mujer a quien Dios inviste de su autoridad, cuyas armas no son hachas de hombre, sino espadas de fuego y bombas atómicas en el mundo espiritual. Un soldado en perfecto orden de autoridad, adiestrado en principios, valores y sumisión. Un guerrero revestido de humildad y docilidad, es fácil de dirigir por la mano de Dios y de sus superiores. Una persona temerosa de Dios, que no busca lo suyo ni se jacta, porque sabe que sólo de Dios es la gloria. Éstos son los escogidos de Dios, los revestidos de Él, y los armados por su Espíritu; éstos no pueden ser vencidos.

CAPÍTULO
6

Percances o Accidentes de Guerra

"Sabemos que todo aquel que ha nacido de Dios no practica el pecado, pues Aquel que fue engendrado por Dios lo guarda y el maligno no lo toca. Sabemos que somos de Dios, y el mundo entero está bajo el maligno".   *1 Juan 5.18, 19*

1. ¿Quiénes sufren accidentes?

El dolor, la enfermedad, las desgracias y accidentes son cosas que hemos vivido todos en el cuerpo de Cristo. Aunque algunos no lo quieran admitir y prediquen que el diablo ya ha sido derrotado y que ya no puede hacernos nada, la verdad es que la Iglesia en todas partes está llena de dolencias.

En todas las denominaciones y grupos cristianos, hay ataques del diablo diariamente. Creo que es injusto decir que el origen de enfermedades y contrariedades se deba por llevar a cabo la guerra espiritual. En todos lados, suceden tragedias, aun en medio de aquellos que más se oponen al mover de la batalla estratégica. ¿O acaso los cristianos más conservadores no se enferman ni nunca han sido víctimas de un aborto inesperado o un accidente? Desde que el diablo tomó el control de la tierra y estableció su imperio de muerte, dolor y maldad, la humanidad ha estado en gran sufrimiento.

Este reino de tinieblas opera, trayendo padecimientos a cristianos y a incrédulos.

"El que practica el pecado es del diablo, porque el diablo peca desde el principio. Para esto apareció el Hijo de Dios, para deshacer las obras del diablo".   *1 Juan 3.8*

Y no importa lo que diga satanás y sus demonios, hay sobre él un gobierno mayor, que lo venció y a quien tiene que sujetarse. Nuestro enemigo en común ciertamente anda rondando para ver a quién devorar, pero no tiene libertad incondicional para hacer lo que quiera.

La religión es un lugar inseguro. El morar EN DIOS, es lo que nos guarda de todo peligro.

"El que habita al abrigo del Altísimo morará bajo la sombra del Omnipotente. Diré yo a Jehová: Esperanza mía, y castillo mío; mi Dios, en quien confiaré. El te librará del lazo del cazador, de la peste destructora. Con sus plumas te cubrirá, y debajo de sus alas estarás seguro; escudo y adarga es su verdad. No temerás el terror nocturno, ni saeta que vuele de día, ni pestilencia que ande en oscuridad, ni mortandad que en medio del día destruya. Caerán a tu lado mil, y diez mil a tu diestra; mas a ti no llegará. Ciertamente con tus ojos mirarás y verás la recompensa de los impíos.

Porque has puesto a Jehová, que es mi esperanza, al Altísimo por tu habitación, no te sobrevendrá mal, ni plaga tocará tu morada. Pues a sus ángeles mandará acerca de ti, que te guarden en todos tus caminos. En las manos te llevarán, para que tu pie no tropiece en piedra. Sobre el león y el áspid pisarás; hollarás al cachorro del león y al dragón. Por cuanto en mí ha puesto su amor, yo también lo libraré; le pondré en alto, por cuanto ha conocido mi nombre. Me invocará, y yo le responderé; con él estaré yo en la angustia; lo libraré y le glorificaré. Lo saciaré de larga vida, y le mostraré mi salvación".

Salmo 91

Hay gente que aunque son devotos cristianos, su realidad espiritual es una religión, han creído con la mente y no con el corazón. Están llenos de mecanismos y fórmulas que parecen piadosas, pero que carecen de la vida y de la eficacia de una comunión íntima con Dios.

Estar "**En Dios**", es un estado del Espíritu en el cual el Señor continuamente nos está transformando, guiando y hablando. Es en ese estado espiritual donde toda nuestra confianza está depositada en Dios porque le conocemos y oímos.

2. ¿Puede el diablo realmente tocar a un ungido?

Jesús proveyó en la cruz toda la victoria que necesitamos para vivir una vida protegida cien por ciento por Dios.

La Palabra dice:

"Sabemos que todo aquel que ha nacido de Dios no practica el pecado, pues Aquel que fue engendrado por Dios lo guarda y el maligno no lo toca". 1 Juan 5.18

También declara:

"Por lo demás, hermanos míos, fortaleceos en el Señor y en su fuerza poderosa. Vestíos de toda la

armadura de Dios, para que podáis estar firmes contra las asechanzas del diablo..."

Efesios 6.10, 11

Según estas porciones de la Escritura, existe la posibilidad de no ser tocado por el diablo y de poder permanecer firmes y de pie ante los ataques del maligno. El problema con que nos encontramos aquí, es que la gran mayoría de la Iglesia, prácticamente no camina como debiera andar con el Señor, y no está en posesión absoluta de la armadura de Dios.

Muchas veces, la gente piensa que no está en transgresión porque no practica adulterios y borracheras ni asiste a festividades paganas, pero viven revestidos de religiosidad, sin misericordia, crítica y sus lenguas no están domadas. El chisme sobreabunda, la competencia y sus vidas dependen más de sus propios criterios que del Espíritu Santo. Éstos son los que, en muchos casos, se enlistan para hacer la guerra espiritual y, lógicamente, están desprotegidos. El pecado de cualquier índole crea alianzas con el diablo, y esto es lo que otorga derecho legal a los demonios para poder tocar a un hijo de Dios.

a) Discerniendo las alianzas que podamos tener con el enemigo.

Cuando salimos a hacer guerra espiritual, lo primero que hacemos es estudiar las características del hombre fuerte con quien vamos a luchar. Las anotamos en una pizarra y luego, empezamos a desglosar todas las posibilidades de cada una de estas definiciones de su carácter, y vemos en qué nos identificamos con ese espíritu.

Creo que uno de los errores de Pablo, y lo que lo condujo a una derrota casi total en la propagación del evangelio en Atenas, fue la estrategia con la que entró a esta capital.

El hombre fuerte, gobernante, allí era el espíritu de Grecia. Éste se caracteriza, entre muchas cosas, por el intelectualismo, el humanismo, el culto de la razón sobre el espíritu, la elocuencia, la arrogancia, el demostrar siempre que uno sabe más que los demás, las discusiones interminables para probar todo por medio de la lógica mental, entre otros.

Pablo, inconscientemente, cayó en la trampa de este espíritu y se dejó envolver por él. Su predicación fue intelectual y sin manifestación de poder, por lo que el resultado prácticamente fue nulo.

"Mientras Pablo los esperaba en Atenas, su espíritu se enardecía viendo la ciudad entregada a la idolatría. Así que discutía en la sinagoga con los judíos y piadosos, y en la plaza cada día con los que concurrían. Algunos filósofos de los epicúreos y de los estoicos discutían con él. Unos decían:—

¿Qué querrá decir este palabrero? Y otros:— Parece que es predicador de nuevos dioses. Esto decían porque les predicaba el evangelio de Jesús, y de la resurrección". Hechos 17.16-18

Note cómo Pablo ya empieza a ceder a este espíritu de discusión, y ahora, entra otra vez en la red del enemigo, cayendo en una argucia intelectual:

"Lo tomaron y lo trajeron al Areópago, diciendo:—¿Podremos saber qué es esta nueva enseñanza de que hablas?, pues traes a nuestros oídos cosas extrañas. Queremos, pues, saber qué quiere decir esto. (Porque todos los atenienses y los extranjeros residentes allí, en ninguna otra cosa se interesaban sino en decir o en oír algo nuevo)". Hechos 17.19-21

Los griegos no estaban buscando a Dios, ni su corazón era sencillo para recibir la salvación. Sus mentes estaban cautivas por el espíritu territorial y logran envolver a Pablo en el juego.

El apóstol, después de un elocuente discurso sobre el "Dios no conocido", termina avergonzado por las burlas de los atenienses, y tan sólo queda en esa ciudad un pequeño grupito de creyentes.

La reacción de Pablo ante esa derrota de la cual se da

cuenta claramente, es entrar a Corinto en un espíritu totalmente opuesto. Me es claro, por la forma en que se dirige a los corintios, que debe haber tenido un fuerte encuentro con el Espíritu Santo entre una ciudad y otra.

Fíjese en el radical cambio que tiene su predicación:

"Así que, hermanos, cuando fui a vosotros para anunciaros el testimonio de Dios, no fui con excelencia de palabras o de sabiduría, pues me propuse no saber entre vosotros cosa alguna, sino a Jesucristo y éste crucificado. Y estuve con vosotros con debilidad y mucho temor y temblor. Y ni mi palabra ni mi predicación fueron con palabras persuasivas de humana sabiduría, sino con demostración del Espíritu y de poder..."

1 Corintios 2.14

Lo que está haciendo es actuar en el espíritu contrario al espíritu de Grecia, y cortar toda alianza en su mente y en su personalidad que lo asocie con este espíritu. Ante la sabiduría de los griegos, él decide no saber nada, sino a Jesucristo. Ante la arrogancia, se presenta con temor y temblor. Ante las discusiones, la sencillez y la demostración del poder de Dios. El resultado fue una iglesia a la que se agregó mucho pueblo y pudo tener grandes discípulos en ese lugar.

En nuestro caso, cuando peleamos contra fuerzas

territoriales lo más importante es estudiar cómo actúan, romper las alianzas que tengamos en nuestra alma con dichas características y, luego, operar en el espíritu contrario.

Por ejemplo, si vamos a pelear contra "la reina del cielo" o la gran Babilonia, lo primero que dice la Escritura es:

"Y oí otra voz del cielo que decía: Salid de ella pueblo mío, para que no seáis partícipes de sus pecados y recibáis parte de sus plagas..."

Apocalipsis 18.4

Entonces, lo que hacemos es extraer de la Biblia y de la historia, todos los posibles rasgos de cada una de las reinas que habla la Escritura. Sin entrar en una lista exhaustiva, tenemos algunas de ellas:

La reina Vasti. Era vanidosa e irrespetuosa de la autoridad. Su ego estaba encima de la voluntad de su marido. Le era fácil desobedecer y era rebelde. Sus asuntos estaban por encima de cualquiera, entre otros rasgos de su personalidad.

La reina Jezabel. Era manipuladora y gobernaba sobre su marido. Se oponía a la voz profética, no tenía temor de Dios, era idólatra y se consideraba profetiza. Seduce a los siervos de Dios a fornicar y a comer cosas sacrificadas a los ídolos.

En esta fornicación, les enseña a sentirse a gusto cuando es comprometida la palabra de Dios. Los orilla a sentirse bien aunque hayan pecado. Es engañadora. Siempre se quiere salir con la suya. Quiere imponer su voluntad a cualquier precio, aun si esto implica la destrucción de alguien. Es terriblemente idólatra. Jezabel está asociada con Pitón, que es un espíritu en forma de áspid. Éste aniquila con la lengua soltando su mortal veneno. Estrangula y sofoca a sus víctimas hasta que hagan lo que él quiere.

La reina de Saba. Compra la gracia con presentes, es seductora, sensual, aduladora, busca posicionarse con los grandes a través de sus favores, servicios y regalos.

La reina Atalía. Busca posición, poder y señorío, aun destruyendo a quien tenga que destruir (Espirituales y naturales). Ella está por encima de todos, y no hay quién se le oponga.

Y hay otras más, pero no pretendo hacer un estudio profundo de la reina del cielo, sino establecer un principio que ha servido para salir intocables en la batalla.

La gran mayoría de los intercesores y guerreros son personas dedicadas a Dios, esforzadas en la oración, en desvelos y revelación; personas cuidadosas de su testimonio y que aman muchísimo a Dios y harían cualquier cosa por Él. Sin embargo, esto no los hace estar libres de peligro. Si a Pablo lo pudo enredar un espíritu y conducirlo a un fracaso, a nosotros también nos puede suceder.

En mi experiencia con miles de intercesores y soldados del Altísimo, he visto que la tendencia es enfocarse a las cualidades que Dios les dio, a sus dones espirituales, y de una manera humilde, están satisfechos con que Dios les pueda pedir cualquier cosa, y están dispuestos a hacerla.

Al diablo ver personas con tan maravillosas características, va a buscar en las sutilidades de sus legalismos para poder atacar. Por esta causa, es que Dios nos mostró la importancia de un análisis de gran escrutinio, con aquellas cosas con que nos identificamos con los espíritus territoriales.

Lo fácil es decir, yo soy una devota sierva de Dios, no tengo nada que ver con Jezabel. Sin embargo, Dios quiere que veamos a fondo nuestra naturaleza humana. En todos nosotros, si somos sinceros, hay rasgos de control, de manipulación, rebeldía y vanidad, entre otros. Por la simple razón que provenimos de una naturaleza caída que le dio estructura a nuestro carácter y a nuestra alma.

Desde que la persona es un bebé pequeño, empieza a manipular. La gran mayoría de los niños, la primera palabra que aprenden después de mamá y papá, es: "no". El bebé no sabe ni cómo se llama, pero sabe imponer su voluntad. Poco a poco irá encontrando la manera de medir la tolerancia de los padres y manipularlos para hacer lo que él quiere. Si alguien quiere saber cómo opera esta reina en su vida, mire cómo usted reacciona cuando alguien se opone radicalmente al sueño más importante de su vida. En algunos, es enojo y hasta ira, en otros es tristeza y depresión, en otros, astucia. Todas estas reacciones tienen como objetivo manipular y controlar. Y es necesario reconocerlo y pedir perdón para que el diablo no nos toque.

Esto no es otra cosa que las primeras manifestaciones de la reina del cielo en nosotros. Ésta es la naturaleza del hombre, rebelde, desobediente, controladora y llena de maldad. Aunque la gran mayoría de los intercesores y guerreros son personas guiadas por el Espíritu y santificadas en muchas maneras, créame, no sobra rascar en los recodos del alma. Hay cosas que a lo mejor, damos por sentado que no operan en nosotros y que ya hemos sido perdonados, pero que nunca han sido confesadas ni nadie le ha remitido ese pecado.

Cuando con el equipo de guerra buscamos estas alianzas con las características del espíritu con que vamos a pelear, tomamos un buen tiempo dialogando entre nosotros y sacando a la luz las cosas que hemos hecho que tienen que ver con esas actitudes. Desde el pasado más remoto de nuestra vida, los pensamientos que a veces se nos cruzan por la mente, las películas o los programas de televisión que hemos visto en que admiramos un héroe que tenía estas aversiones. En algunas ocasiones, Dios nos trae a la luz chistes que hemos contado o que hemos reído con ellos, donde se produjo la alianza con dicho espíritu. No estoy sugiriendo que apague el televisor de por vida y que nunca cuente un chiste, sino que reconozcamos la debilidad de nuestra naturaleza humana, que está desde luego en camino a ser perfeccionada.

Recuerdo una amada guerrera, que cuando nos preparábamos para hacer una guerra, en los campos de concentración de Auschwitz, y analizábamos las características del espíritu de Hitler, se levantó y dijo: "definitivamente yo no me identifico con el espíritu de antisemitismo de Hitler". Entonces, hubo un silencio y éste fue interrumpido por una compañera que le dijo: "Acuérdate de cómo nos hemos reído en la escuela con los chistes de Auschwitz". Ella se arrepintió, y fue tan claro para todos, ver lo fácil que caemos en hacer cosas sutiles que nos identifican con la obra del diablo.

En la medida que reconocemos estas alianzas que a veces parecen insignificantes, adquirimos posiciones espirituales que nos dan autoridad para pelear sin peligro. Desde que entendimos este principio y lo llevamos a cabo, no hemos tenido un solo percance de guerra. Quizás, esto no sea tan relevante para un cristiano común en una iglesia, pero desde luego sí lo es para un guerrero que quiere pelear contra las fuerzas territoriales.

b) El diablo puede tocar cuando se está fuera de orden.

La guerra territorial es un asunto delicado. Tenemos que entender la guerra como la acción en la que convergen las altas organizaciones de inteligencia mundial. En un conflicto militar, en el mundo natural, la victoria y la derrota dependen de aquel que tenga:

- La mejor estrategia
- El mayor conocimiento de las debilidades y la fuerza de su oponente
- El ejército mejor organizado
- Las armas más poderosas

Sin lugar a dudas, este orden es importante porque como hijos de Dios, tenemos las armas más poderosas. Sin embargo, muchos han perdido batallas por carecer de una estrategia correcta, y por desconocer por donde atacaría el enemigo.

Es como un juego de ajedrez en que tenemos que anticipar las jugadas engañosas de nuestro enemigo, estar alerta y velando para deshacerlas antes que tan siquiera se mueva.

La guerra es un asunto de astucia e inteligencia divina, de intuición y revelación. Es un tópico de precisión en los tiempos de ataque y de los lugares donde se tiene que atacar. No se trata de lanzar bombas a lo loco para ver si le acertamos a una fortaleza, porque no todos los blancos de ataque se destruyen igual, y el hacerlo equivocadamente, puede tener un precio muy alto.

Es importante que toda guerra cuente con ejércitos organizados. Sus generales y capitanes en armonía y de acuerdo. Cada parte de la armada, preparada y santificada, con suficiente cobertura de ayuno y oración antes y después de la guerra. Los mapeos de investigación y las palabras proféticas tienen que dar a luz la estrategia correcta. Los participantes tienen que ser gente bajo autoridad y en total sumisión.

Guerreros de iniciativa propia que quieran ser héroes, ponen en peligro a todo el ejército. Las personas en pecado dentro de la armada abren puertas para que todo el ejército pierda la batalla. Como fue el caso de la batalla contra Hai, en que el ejército de Josué perdió por causa de la transgresión de Acán. Refiérase a Josué 8.

Un principio básico para la guerra es que nuestro nivel de ataque contra el diablo debe estar íntimamente relacionado con nuestro nivel de autoridad y relación con Dios. A mayor profundidad en nuestra intimidad con Dios, mayor será el nivel de jerarquía contra el que podamos hacer la guerra.

Un guerrero que quiera pelear contra fuerzas

territoriales, pero que no tenga poder para liberar a un endemoniado, lógicamente no tendrá la fuerza necesaria para combatir a ese nivel.

La persona que quiere pelear batallas de alto nivel, pero no puede vencer sobre asuntos de carácter, o en sus propias finanzas, tampoco tiene el poder para pelear territorialmente, y será fácilmente derrotado.

Para un enfrentamiento contra altos rangos se requiere de una autoridad probada por fuego y de una fuertísima relación con Dios.

La fuerza de muchos guerreros poderosos actúa como una fortaleza para cubrir a uno más débil que se encuentre en el grupo. No se trata de eliminar a un guerrero por la mínima debilidad, sino de ayudarlo, protegerlo y apoyarlo a crecer por medio de la experiencia de los demás.

Los rangos en el ejército de Dios se adquieren, no porque alguien tenga mucha revelación, sino por victorias contra el enemigo. La derrota de un gran principado catapulta al combatiente a esferas de influencias mayores en el mundo espiritual.

Nuestra autoridad, como parte del ejército de Dios, está íntimamente relacionada con el nivel con el que nos sujetamos a nuestras autoridades terrenales. A veces, se da el caso que alguien es llamado a la guerra, pero se encuentra en una iglesia donde el tema es desconocido o rechazado. En el primer caso, el guerrero debe informarle a su pastor de su llamado hacia formar parte de la armada de guerra espiritual. Si el pastor es abierto, orientará al soldado en cuestión a prepararse con quienes tengan más experiencia y que sean ministerios probados.

En el segundo caso, el soldado tendrá que tomar la decisión de olvidarse de la guerra y seguir al servicio de ese pastor, o buscar un lugar donde pueda crecer como guerrero y dejar esa iglesia.

Lo que es sumamente peligroso y donde ha derribado el diablo a muchos guerreros, es que al sentir el llamado, no toman en cuenta la autoridad de sus pastores y se lanzan al combate como mártires de Dios. Salen a pelear como un ejército "incomprendido", a quien Dios ha llamado por encima de todo gobierno de la iglesia. Esto es falso, y no es el orden del Señor.

Dios es un Dios de orden, y Él mismo se sujeta a sus diseños. Cuando el Señor levanta a alguien para pelear territorialmente, es porque ha habido un adiestramiento previo. Dios se encarga de conectarlo con los generales que lo ayudarán. Si bien hay que enfrentar oposición, la gran mayoría de los caminos se abren para que los planes de Dios prosperen de acuerdo a como Él quiere hacer las cosas.

Tengo guerreros en mi organización que pertenecen a otras iglesias, donde no se practica la guerra espiritual, pero cuyos pastores están de acuerdo que yo les dé cobertura en materia de guerra, para que ellos puedan desarrollarse conforme a su llamado.

Para esta cobertura, el soldado se encuentra en perfecta sujeción a su autoridad pastoral o apostólica, y cuando va a hacer una iniciativa de combate, me sujeta a mí sus estrategias y nosotros lo cubrimos con la red de intercesión.

Es importante, también, que el nivel de cobertura corresponda al nivel de guerra que se quiere llevar a cabo. Por ejemplo, no podemos pelear contra un principado nacional, con una cobertura de una pequeña inglecita independiente. Tampoco, podemos pelear contra un poder de las tinieblas a nivel mundial, cuando lo que se tiene es una cobertura a nivel nacional. Forzosamente, para este caso, es indispensable que la acción de guerra la cubra un ministerio mundial.

Personalmente, yo estoy sujeta al apóstol Rony Chaves de Costa Rica, pero en materia de guerra, en Estados Unidos y Europa, quien me cubre es el apóstol, C. Peter Wagner. Por lo general, a ambos les doy cuenta de mi vida y de mis acciones.

Yo fui llamada a la guerra desde mi conversión, pero se requirió un fuerte adiestramiento y trato de Dios para levantarme a pelear contra principados y potestades de alto rango. Puedo ver cómo desde el principio, todo fue diseñado por Dios para mi crecimiento. Nací en una iglesia que era fuerte en liberación para su tiempo y muy radical en el trato con el pecado y con la carne. Desde mis primeros pasos de cristianismo, me enseñaron una vida clavada en la cruz, pero también me adiestraron en el poder de Dios y en la fe.

Fue Dios mismo el que me fue poniendo al lado de cada uno de sus siervos, que eran indispensables para mi desarrollo. Tuve grandes maestros, empezando por mi padre en el ministerio: el Dr. Morris Cerullo, quien creyó en mí y me adiestró exhaustivamente bajo su ministerio. Tras de él, Dios fue añadiendo cada parte que era necesaria para mi formación.

Desde luego, le puedo decir que un guerrero de alto nivel, se forja lo mismo que una espada de acero: en hornos de intenso fuego, y luego golpe tras golpe hasta que queda afilada y resplandeciente. No existe tal cosa como guerreros de microondas, que tras un poderoso seminario, quieren salir a hacer proezas.

3. ¿Accidentes de guerra o sufrimientos de parte de Dios?

Un accidente de guerra es considerado un percance, una fatalidad, un infortunio o un ataque proveniente del diablo. Como ya hemos visto anteriormente, es posible contar con toda la protección de Dios para que una avanzada del diablo no prospere en nuestras vidas.

Creo que el enfoque no es tanto lo que satanás pueda hacer como resultado de una guerra, sino poder ver las cosas con los ojos y el punto de vista correctos, ya que no podemos llamarle a todo lo que nos sucede "un contraataque del enemigo".

El Apóstol Juan escribió:

> *"Sabemos que todo aquel que ha nacido de Dios no practica el pecado, pues Aquel que fue engendrado por Dios lo guarda y el maligno no lo toca".* 1 Juan 5.18

Pese a esta declaración fue sumergido en aceite hirviendo. Según la historia, fue echado en la cárcel en la Isla de Pátmos y sufrió de muchas maneras, sin embargo, nunca consideró que el diablo lo podía tocar.

Jesús mismo dijo:

> *"Os doy potestad de pisotear serpientes y escorpiones, y sobre toda fuerza del enemigo, y nada os dañará".* Lucas 10.19

Él sabía que la iglesia sería torturada, perseguida y

Guerra de Alto Nivel 147

martirizada, y sin embargo, no se lo atribuyó a la obra del diablo. A Pablo, le reveló que cuando estuviese sumergido en diversas tribulaciones, no miraría las cosas que se veían en lo natural, sino lo que estaba sucediendo en el mundo invisible, porque cada dolencia contribuía a que el peso de la gloria eterna fuese creciendo sobre él. (Paráfrasis de 2 Corintios 4.16-18).

¿Qué sucedió, también, en la mayor batalla jamás peleada, la cual se llevó a cabo en la Cruz del Calvario? A los ojos del hombre natural, cuando Jesús murió, satanás había ganado la guerra. Es decir, había conseguido torturarlo, humillarlo, vituperarlo y, por último, le había dado muerte.

Si lo consideramos sólo desde el punto de vista natural en lo que era la apariencia inmediata visible, no era otra cosa más, que un terrible ataque del maligno en el que había vencido a Jesús. Pero lo que sucedía en lo invisible, en lo que sólo se puede percibir con la mente de Dios, era que por medio de la muerte, se estaba venciendo la muerte y el pecado. Por medio del dolor, venció el dolor, por medio del vituperio, venció al vituperio, por medio de la humildad venció la soberbia, y por medio de todo ese terrible padecimiento, deshizo el imperio del diablo.

Lo que tenía una apariencia de derrota (porque absolutamente nadie creyó en ese momento que Jesús resucitaría), lo que era el fin de su esperanza, en realidad, estaba siendo la mayor victoria del universo. Lo que parecía un ataque fulminante de satanás contra el Hijo de Dios, era un diseño del Padre planificado desde antes de la fundación del mundo.

El ver sólo la parte externa de las cosas, el ver con el análisis lógico de nuestra mente, inevitablemente nos va a conducir a errores espirituales.

Es posible que Dios esté haciendo la obra más maravillosa de nuestra vida a través de lo que consideramos una tragedia, y no nos damos cuenta porque siempre le echamos la culpa al diablo, y sólo nos enfocamos en ver el lado negativo de las cosas. Esto es, precisamente, lo que el maligno quiere para atar al pueblo de Dios bajo yugos de temor.

El problema radica en que el punto de vista de Dios y el de la Iglesia de los siglos XX y XXI, son totalmente opuestos. El mundo moderno, incluyendo a la mayoría de la Iglesia, vive bajo una estructura orientada hacia la comodidad, el bienestar y a buscar factores inmediatos que satisfacen el alma. Es bombardeado todos los días por miles de anuncios publicitarios y mensajes subliminales que lo atan a un consumismo desenfrenado. Y lo queramos o no, todo este sistema afecta la forma de pensamiento del común denominador de la iglesia actual. Todo alrededor nuestro, proveniente de ese sistema, que nos grita: "Evita el sufrimiento a toda costa". El mundo hará cualquier cosa con tal de no padecer, o padecer lo menos posible. Dios, sin embargo, tiene una forma de pensar muy diferente, con respecto a nuestras tribulaciones. El Señor sabe que nuestro mayor enemigo no es el diablo, pues Él ya lo venció, sino nuestra carne, nuestro ego y nuestra amistad con el mundo lo que nos constituye en enemigos de Dios. Él sabe que lo mejor para nosotros es que muramos a todo eso y que sea lo antes posible.

En la escala de valores divinos, lo mejor que nos puede pasar, es morir a todo lo que nos aparta de Dios o de nuestro destino. Para Dios, el sufrimiento es tan sólo una leve tribulación momentánea a través de la cual Él nos madura, se revela a nosotros y nos hace entrar en niveles cada vez más gloriosos de su Reino. "Es necesario que entréis al reino de Dios a través de muchas tribulaciones".

El diablo no tiene autoridad para hacer lo que se le venga en gana contra un hijo de Dios, ni en medio de ninguna guerra tampoco. Él está sujeto al servicio del Altísimo. Jesús mismo le recordó esto en el desierto:

> *"...Sólo al Señor tu Dios adorarás y sólo a Él servirás".*   *Lucas 4.8*

Cuando Job fue tremendamente atribulado por los embates del diablo, quien originó todo ese sufrimiento no fue satanás ni tampoco un accidente de guerra espiritual, sino Dios.

"Dijo Jehová a Satanás: ¿De dónde vienes? Respondiendo Satanás a Jehová dijo: "De rodear la tierra y andar por ella. Jehová dijo a Satanás: ¿No te has fijado en mi siervo Job, que no hay otro como él en la tierra, varón perfecto y recto, temeroso de Dios y apartado del mal?¿Acaso teme Job a Dios de balde? ¿No le has rodeado de tu protección, a él y a su casa y a todo lo que tiene? El trabajo de sus manos has bendecido, y por eso sus bienes han aumentado sobre la tierra. Pero extiende ahora tu mano y toca todo lo que posee, y verás si no blasfema contra ti en tu propia presencia. Dijo Jehová a Satanás: Todo lo que tiene está en tu mano; solamente no pongas tu mano sobre él..." Job 1.7-12

El libro de Job nos habla de cómo perdió todo (familia, bienes, salud) y cómo también Dios obró poderosamente en su vida.

El Señor tenía un diseño glorioso para Job, pero también sabía que a los niveles del conocimiento de Dios al que Él quería llevarlo, sólo podían lograrse a través de una profunda tribulación.

Dios siempre estuvo en control de todo. Satanás jamás estuvo ganando esa batalla, ni aún en medio del dolor más extremo. Era Dios, quien siempre levantó la bandera de triunfo en el mundo espiritual, hasta que éste se manifestó en la total trasformación y prosperidad de Job. Dios siempre tuvo en mente el bien de Job, y sus ojos estaban de continuo en el maravilloso propósito que Él estaba forjando en la vida de su siervo.

Otro caso como este, es cuando satanás le pide a Jesús que le entregue a Pedro para zarandearlo como a trigo. Desde luego, satanás no le da órdenes a Jesús, sino que el Hijo de Dios ya tenía un plan glorioso para su discípulo a través de un tremendo sacudimiento de su alma. Jesús es el que aprueba la acción del diablo, y Él va entonces a interceder para que su fe no falte.

Pedro va a pasar por momentos de infierno, de desesperación absoluta después de negar a Jesús, pero el resultado de esa tribulación es que él sea purificado en su hombre interior para después afirmar a sus hermanos.

Escrito está:

> "si sufrimos, también reinaremos con él; si lo negamos, él también nos negará..."
>
> *2 Timoteo 2.12*

También dice:

> "El Espíritu mismo da testimonio a nuestro espíritu, de que somos hijos de Dios. Y si hijos, también herederos; herederos de Dios y

coherederos con Cristo, si es que padecemos juntamente con él, para que juntamente con él seamos glorificados". Romanos 8.16, 17

En la iglesia primitiva el sufrimiento era la forma de vida que adoptaron los apóstoles para que el mensaje de la cruz llegara hasta los últimos confines de la tierra. Ellos no buscaban cómo evadir el dolor, sino que habían entendido el profundo nivel de gloria a que éste conllevaba.

Fíjese como Pablo tiene un entendimiento tan diferente al mundo cristiano de estos últimos tiempos:

"Y ciertamente, aun estimo todas las cosas como pérdida por la excelencia del conocimiento de Cristo Jesús, mi Señor. Por amor a él lo he perdido todo y lo tengo por basura, para ganar a Cristo y ser hallado en él, no teniendo mi propia justicia, que se basa en la Ley, sino la que se adquiere por la fe en Cristo, la justicia que procede de Dios y se basa en la fe. Quiero conocerlo a él y el poder de su resurrección, y participar de sus padecimientos hasta llegar a ser semejante a él en su muerte". Filipenses 3.8-10

Él mismo decía también:

"Pero tenemos este tesoro en vasos de barro, para que la excelencia del poder sea de Dios

> *y no de nosotros, que estamos atribulados*
> *en todo, pero no angustiados; en apuros,*
> *pero no desesperados; perseguidos, pero no*
> *desamparados; derribados, pero no destruidos.*
> *Dondequiera que vamos, llevamos siempre en el*
> *cuerpo la muerte de Jesús, para que también la*
> *vida de Jesús se manifieste en nuestros cuerpos,*
> *pues nosotros, que vivimos, siempre estamos*
> *entregados a muerte por causa de Jesús, para*
> *que también la vida de Jesús se manifieste en*
> *nuestra carne mortal".* 2 Corintios 4.7-11

¡Qué entendimiento tan alto, y qué enfoque tan sublime! He aquí alguien que sabe lo que está buscando, cuyas metas son celestiales. Cuyo objetivo es que toda la vida resucitada y poderosa de Jesús se trasluzca y se manifieste en su cuerpo de carne, para que el mundo vea literalmente a Jesús en él.

Él no está preocupado de que el diablo le robe el carro, o si se le rompe un hueso; no tiene contemplado en sus valores, el perder la libertad o la vida. Él sabía, porque Dios se lo había hablado:

> *"Bástate mi gracia, porque mi poder se*
> *perfecciona en la debilidad. Por tanto, de buena*
> *gana me gloriaré más bien en mis debilidades,*
> *para que repose sobre mí el poder de Cristo.*
> *Por lo cual, por amor a Cristo me gozo en las*

debilidades, en insultos, en necesidades, en
persecuciones, en angustias; porque cuando soy
débil, entonces soy fuerte".

2 Corintios 12.9, 10

Para él, todo es ganancia. La muerte es la victoria anhelada que lo pondrá en todo poder al lado de su amado Jesús. Está dispuesto a sufrirlo todo y perderlo todo, con tal de llevar el evangelio a los perdidos. Él es un verdadero soldado del Señor, un General, que inspira y nos llena de denuedo y compasión para luchar por las naciones.

Tanto Pablo como los demás discípulos, sabían que avanzar el reino de Dios tenía un precio muy alto. El simple hecho de arrebatarle un alma al diablo, podía y puede trastornar toda una región del imperio de las tinieblas y aun la sociedad.

La sanidad del cojo en la puerta de la hermosa, ¿acaso no produjo un alboroto tremendo en Jerusalén, de tal modo que Pedro y Juan fueron detenidos? La predicación en Éfeso produjo el levantamiento de toda la ciudad en contra de Pablo. Una sola predicación de Esteban le costó la vida.

No es sólo la guerra espiritual al nivel territorial, lo que perturba el reino del diablo, sino también, cualquier avance de la verdadera luz en medio de las tinieblas.

Hay diseños divinos que tienen que ver con fuertes padecimientos, como puede ser la pérdida de un ser querido, la pérdida de la salud o de todos nuestros bienes. Y esto no significa, en ningún momento, que el diablo ha ganado un contraataque.

Miremos, por ejemplo, la forma tan desconcertante como Jesús establece su Iglesia en el siglo primero. El evangelio se expandía, pero sus seguidores eran martirizados, echados a los leones, crucificados, quemados, torturados. El pensamiento de ellos no era: "Dejemos de asistir a esas reuniones de cristianos porque el diablo nos va a atacar y nos van a matar". Al contrario, entre más los aniquilaban, más se añadían a la congregación y más poder cobraba la Iglesia.

En los diseños de Dios, que son infinitamente más sabios que nosotros, era necesario que ese derramamiento de sangre se diera en aquel momento. Esto haría que el poder de la sangre de los mártires hiciera un fundamento tan fuerte, que haría que la Iglesia permaneciera hasta nuestros días.

En cada mártir, la fuerza del imperio romano se iba debilitando hasta su total debacle. Esto fue ciertamente una guerra espiritual de muy alto nivel. Para el pensamiento natural del hombre, la pérdida de la vida es una gran tragedia, pero para Dios es una promoción de primer orden.

Yo hago guerra espiritual desde 1989, y he sufrido pérdidas de todo tipo: bienes y seres queridos que el Señor llamó a su presencia. Entre ellos, mi ser más cercano, mi hermanita gemela. Pero sé, sin lugar a dudas, que nada de esto tiene que ver con los contraataques de un diablo desaforado que Dios no pudo controlar, sino con diseños gloriosísimos para mi vida.

Recuerdo cuando mi hermana Mercedes partió a la gloria: Dios me habló claramente y me dijo: Estoy formando un ejército poderoso para estos tiempos que operará junto con mis ángeles, y es necesario que una de ustedes dos pelee desde los cielos y la otra desde la tierra, ¡y ella fue la afortunada!

En Jesús, los cielos y la tierra son una sola cosa, y Mercedes está llena de gloria esperándome con los brazos abiertos y, seguramente, intercediendo en todas mis batallas. Yo no he perdido nada, y mucho menos el diablo me la ha quitado. Mercedes, tan sólo cambió de dirección y, en algunos años, la volveré a ver.

Mi hermana forma parte de la gran nube de testigos de la cual habla el libro de Hebreos (Capítulo 12:1). El cuerpo de Cristo en el cielo está activo, cuando Juan ve a los mártires en el libro del Apocalipsis, no los ve dormidos ni muertos, están vivos clamando por justicia.

"Cuando abrió el quinto sello, vi bajo el altar las

almas de los que habían sido muertos por causa de la palabra de Dios y por el testimonio que tenían. Y clamaban a gran voz, diciendo: ¿Hasta cuándo, Señor, santo y verdadero, no juzgas y vengas nuestra sangre en los que moran en la tierra?". Apocalipsis 6:9-10

Jesús dijo:

"Pero respecto a que los muertos resucitan, ¿no habéis leído en el libro de Moisés cómo le habló Dios en la zarza, diciendo: Yo soy el Dios de Abraham, el Dios de Isaac y el Dios de Jacob? Dios no es Dios de muertos, sino Dios de vivos; así que vosotros mucho erráis".

Marcos 12:26 y 27

Jamás debemos invocar a los que ya han partido, pero de que están vivos, adorando y haciendo grandes cosas en el cielo, lo están.

¡El diablo no puede contraatacar una batalla peleada por Dios!

Más adelante, en este libro, hablaré de una de las profundidades más grandes que Dios me ha dado en materia de guerra espiritual y que tiene que ver con esta premisa.

Vuelvo a repetir, el problema radica en nuestro enfoque, en la forma tan humana y equivocada de ver los asuntos de orden divino. Vivimos en una era electrónica, donde casi todo se soluciona apretando un botón. Esto es más real en los países desarrollados, de modo que esto lo queremos transferir al establecimiento del Reino de Dios en la tierra. Queremos un evangelio tecnológico, que con tan sólo apretar teclas y botones la tierra se llene de la gloria de Dios. Un Evangelio de bendiciones, prosperidad y propagando todo lo relacionado con el éxito de este mundo, con mensajes agradables al oído. Lo importante para los que piensan así es tener paz, seguridad y riquezas de este mundo.

Desgraciadamente, esta es la descripción de la iglesia de Laodicea, revelada a Juan en el Apocalipsis. Le muestra que aunque ella se sienta rica y sin necesidad de nada, su verídico estado ante los ojos de Dios es pobre, miserable, ciega, desventurada y desnuda. Y lo peor es que en este estado, es fácil ser presa de un diablo mentiroso y amedrentador que la quiere llenar de miedo, y lo ha logrado en muchos casos, pues se ha convertido en una Iglesia asustadiza y egoísta, que ha perdido la sensibilidad y la compasión verdadera.

Perdone que escriba de esta manera, pero Dios quiere llevar a la iglesia a dimensiones mayores. Dios quiere levantarla en entendimiento y poder, y para eso, es necesario ver la realidad y hacer cambios radicales.

CAPÍTULO

7

¿Ataques del Diablo o la Corrección de Dios?

"Someteos, pues, a Dios; resistid al diablo, y huirá de vosotros. Acercaos a Dios, y él se acercará a vosotros. Pecadores, limpiad las manos; y vosotros los de doble ánimo, purificad vuestros corazones". Santiago 4.7, 8

1. La guerra nos expone a la gloria y a la justicia de Dios.

No podemos empezar a hablar de guerra a altos niveles sin tener en cuenta que toda batalla empieza en el Trono de Dios. Es Dios el que determina el tiempo de todo conflicto militar en los lugares celestiales. No nos toca a nosotros definir los tiempos y sazones, sino sólo a Él. Y estos tiempos están íntimamente relacionados con el establecimiento de los Juicios y la Justicia de Dios.

Toda guerra es un juicio, que Dios permite para traer:

a) Liberación a los oprimidos.

b) Castigo o destrucción de los opresores.

c) Para establecer su justicia.

Para que el juicio se lleve a cabo, entran en función factores legales, que son la base para que Dios actúe trayendo su Justicia. El interés primordial de Dios es que Su justicia sea establecida sobre un territorio para que todo el bien de Su Reino pueda manifestarse.

"¡Jehová reina! ¡Regocíjese la tierra! ¡Alégrense las muchas costas! Nubes y oscuridad alrededor de Él; Justicia y Juicio son el cimiento de su trono. Fuego irá delante de Él y abrasará a sus enemigos alrededor. Los cielos anunciaron su Justicia y todos los pueblos vieron su gloria".

Salmos 97. 13 y 6

Vemos en este salmo, un principio fundamental para entender cómo es que Dios toma la iniciativa de venir en contra de sus enemigos. Lo que más nos interesa a nosotros, para iniciar un conflicto, es que el trono de Dios se manifieste en un lugar, y para esto es necesario mucha intercesión, clamor y ayuno de parte de los santos.

Al Dios oír un clamor genuino y eficaz, Él va a revelar su trono a los profetas, y esto es el anuncio de que podemos acercarnos a Él para pedirle que juzgue a nuestros enemigos. En el caso de la liberación de Israel de manos de Faraón de Egipto, Dios esperó a que la maldad de los amorreos llegara a su colmo. Éste era el tiempo determinado para traer el juicio. Escuchó el clamor de cuatrocientos años de opresión y, entonces, se manifestó a Moisés en la Zarza.

> *"...Ten por cierto que tu descendencia habitará en tierra ajena, será esclava allí y será oprimida cuatrocientos años. Pero también a la nación a la cual servirán, juzgaré yo; y después de esto saldrán con gran riqueza... Y tus descendientes volverán acá en la cuarta generación, porque hasta entonces no habrá llegado a su colmo la maldad del amorreo".* Génesis 15.13, 14 y 16

Es sumamente importante entender, que antes de emprender la batalla, haya un encuentro con la gloria de Dios, con su trono, o que el ángel del Señor se manifieste. Estas cosas las he aprendido porque, con gran temor y temblor ante Dios, es necesario acercarse a la guerra.

Muchas veces, la necesidad extrema o el conocer el tipo tan terrible de fuerzas demoníacas que se encuentran en un lugar, nos hacen anhelar el lanzarnos al combate, pero es necesario esperar en Él. Cuando su gloria se revela, uno sabe que va seguro a la batalla.

Hoy, Dios quiere entregarnos las naciones. Es el tiempo de gran cosecha y de gran liberación para los pueblos de la tierra, pero aún así, Él sigue siendo el Rey y el supremo comandante de sus tropas. Cuando Josué iba a tomar la tierra prometida, tuvo un maravilloso encuentro con el Príncipe de los ejércitos de Jehová.

"Aconteció que estando Josué cerca de Jericó, alzó los ojos y vio a un hombre que estaba delante de él, con una espada desenvainada en su mano. Josué se le acercó y le dijo: —¿Eres de los nuestros o de nuestros enemigos? —No—respondió él— sino que he venido como Príncipe del ejército de Jehová. Entonces Josué, postrándose en tierra sobre su rostro, lo adoró y le dijo: —¿Qué dice mi Señor a su siervo? El Príncipe del ejército de Jehová respondió a Josué: —Quítate el calzado de los pies, porque el lugar en que estás es santo. Y Josué así lo hizo".   *Josué 5.13-15*

Aquí no sólo es relevante la aparición de este Príncipe, que no es otro sino Jesucristo en una parusía anterior a su encarnación, sino también ese "no" tan incierto de su respuesta.

Sobre esta respuesta, el profeta de Dios, Rick Joyner, escribe en su libro "La búsqueda final" lo que Jesús le habló: "Cuando yo juzgo, no estoy buscando el condenar o el justificar, sino que quiero traer mi justicia. La justicia sólo se encuentra en unión conmigo. Éste es el justo juicio: traer a los hombres en unidad conmigo".

"Cuando aparecí a Josué como el Príncipe de los Ejércitos de Dios, le declaré que no estaba a favor ni de ellos ni de sus enemigos. Yo no tomo partidos. Cuando vengo, es para tomar toda la circunstancia, y no para tomar partido con alguien. Yo aparecí como príncipe de los ejércitos de Dios cuando Israel iba a entrar a la tierra prometida. La iglesia ahora está por entrar a su tierra prometida, y otra vez me revelaré como Príncipe de los Ejércitos".

"Cuando lo haga, voy a quitar de en medio, a todos los que fuerzan a mi pueblo a tomar partido los unos contra los otros. Mi justicia no toma partido en conflictos humanos, ni aún entre mi propio pueblo. Lo que estaba haciendo por Israel, lo estaba haciendo también por sus enemigos, no en contra de ellos. Porque tú miras las cosas desde una perspectiva temporal y terrenal, que no te permite ver mi justicia. Es necesario que veas mi justicia para que camines en mi autoridad, porque la justicia y el juicio son el cimiento de mi trono".

Por eso fue tremendamente importante, que todo el pueblo que iba a participar en la batalla, se circuncidara y se santificara. Note, también, cómo las mismas palabras le fueron dichas a Moisés y a Josué antes del gran juicio de sus enemigos:

"Quítate el calzado de tus pies porque la tierra en que estás parado santa es". Es como si Dios mismo absorbiera a su elegido en su santidad gloriosa para poder así traer la destrucción de sus enemigos.

Ésta es, precisamente, la manifestación de su trono, el lugar de su gobierno, el sitio desde donde sale la orden de ejecución de sus juicios. Luego, vemos cómo la gloria de Dios y su Justicia están íntimamente involucradas en la destrucción del opresor. Este mismo principio se aprecia en el Juicio contra la gran Babilonia en el libro de Apocalipsis:

"Después de esto vi otro ángel que descendía del cielo con gran poder, y la tierra fue alumbrada con su gloria. Clamó con voz potente, diciendo: ¡Ha caído, ha caído la gran Babilonia! Se ha convertido en habitación de demonios, en guarida de todo espíritu inmundo y en albergue de toda ave inmunda y aborrecible. Por lo cual, en un solo día vendrán sus plagas: muerte, llanto y hambre, y será quemada con fuego, porque poderoso es Dios el Señor, que la juzga".

Apocalipsis 18.1, 2 y 8

Aquí vemos al ángel de la gloria antecediendo el poderoso juicio contra la gran ramera.

Lo que quiero que entendamos con este principio, es que no podemos nada más pedir venganza para nuestros enemigos, sin entender cómo operan la gloria, la justicia y el juicio. Dios no va a aplastar a nuestros enemigos sin que nosotros seamos expuestos a la justicia y a la gloria de Dios. Lo que destruye al poder del diablo en una guerra es la gloria de Dios manifestada.

Es tan impresionantemente santa que toda cosa inmunda se quema y se hace pedazos. No crea que el diablo se acerca fácilmente donde la gloria de Dios está radiando. Por eso, es que el Señor está preparando un ejército inmerso verídicamente en ese resplandor magnífico de su presencia.

Cuando Dios nos levantó para hacer la guerra a nivel territorial estratégico, prácticamente no había a quién seguir. Éramos pioneros en cosas que "ojo no había visto, ni oído escuchado, ni habían subido en el corazón de hombre".

Al principio, fue un llamado que requirió tremendos pasos de obediencia, que a veces, se sentían como saltos al vacío, con la esperanza que Dios estuviera con los brazos abiertos para no dejarnos caer. Cometimos muchos errores de los que después me di cuenta, pero Su gracia y Su misericordia nos sostenían enseñándonos, para que pudiéramos ser puntas de lanza para un ejército poderoso que Él quería levantar.

En la medida que su divino adiestramiento avanzaba,

fue requiriendo más de nosotros, siendo más exigente y menos indulgente. Las faltas que al principio cometimos, poco a poco empezaron a ser reprendidas y sometidas a disciplina, a fin de educarnos para adiestrar a otros.

Yo comencé a darme cuenta de algo sistemático que sucedía después de cada guerra: Durante el combate, siempre éramos investidos de una luz poderosísima, que era el poder de Dios que nos permitía vencer. Pero, al término de cada batalla, esa misma luz se volteaba hacia nosotros y exponía al descubierto cualquier actitud o pecado que hubiera en cualquiera de los guerreros. No podía ocultarse nada, regresar de la guerra era estar bajo el faro de Dios. Esto nos fue tan evidente que el nivel de santificación empezó a ser de orden "Militar".

Otra cosa de la que me di cuenta fue, que según el nivel de dificultad de la operación y del nivel de las fuerzas territoriales, así era también el nivel de la gloria de Dios que se manifestaba.

Fue ahí que me percaté, que no sólo se trataba de arremeter contra los enemigos de Dios, sino que nosotros mismos éramos expuestos al nivel de gloria con el que Dios peleaba a nuestro favor. **La luz exponía, pero la gloria quemaba.**

Dios nos estaba santificando en una forma maravillosa y, a la vez, muy dolorosa. El encuentro con el reflector de

Dios (como yo le llamo) nos permitía ver nuestros defectos, las actitudes que a veces son tan difícil de ver para poder confesar y arrepentirnos de nuestros pecados. Pero la gloria era una experiencia de fuego intenso. Por un lado, Dios juzgaba a nuestros enemigos, y por otro, nos sumergía en tremendas pruebas de ardiente purificación. El precio de pelear empezó a ser altísimo. Pero la gloria también lo revelaba a Él, a Su maravillosa majestad.

Hemos visto muchas veces a Dios cara a cara. Hemos sido llevados a los cielos innumerables veces. La gloria nos va haciendo uno con Él. Los diálogos que ahora sostengo con mi amado, Maestro y Rey son deliciosos y llenos de plenitud. No cambiaría por algo, estos tesoros celestiales.

Me ha llenado de entendimiento y de sabiduría, para saber que cuando Dios pelea una guerra, el diablo no puede contraatacar. Cuando la gloria magnificente del altísimo es desplegada en los territorios de maldad, créame, satanás no le hace frente a esa presencia devastadora.

Como dice la Escritura:

"Someteos, pues, a Dios; resistid al diablo, y huirá de vosotros. Acercaos a Dios, y Él se acercará a vosotros. Pecadores, limpiad las manos; y vosotros los de doble ánimo, purificad vuestros corazones". Santiago 4.7, 8

Si tan sólo resistirlo lo hace huir, ¿qué cree usted que hace cuando es juzgado por la gloria de Dios? Le digo con verdad, lo último que va querer es contraatacar.

Cuando una guerra es en la carne, ¡Cuidado! Ahí sí que hay represalias. No se trata de lo que vaya a hacer el diablo después de una guerra, sino de lo que vaya a hacer Dios. Hay caminos que están torcidos en nuestras vidas y no los vemos, y a veces, tenemos que ser expuestos a pérdidas de bienes y seres amados para que la total bendición de su Justicia pueda manifestarse en nuestras vidas.

Recuerdo que después de una guerra, murió quien era entonces mi mejor amigo. Me dolió muchísimo, pero por meses, Dios me mostró una a una todas las cosas con las que esa amistad estaba minando mi destino con Dios. Él ahora está con el Señor, pero yo estoy mucho mejor que antes. Algunos dirían: Fue una tragedia de guerra, un ataque del maligno. Pero la verdad es que fue la obra liberadora de Dios y su perfeccionamiento en mi vida.

Como seres humanos, estamos tan aferrados a veces a las comodidades de esta vida y a las cosas tangibles de este mundo. Y aún se da el caso, comúnmente, de personas que literalmente son idólatras de sus posesiones y aun de sus familias. Sus hijos o sus esposas (os), son el fundamento de su felicidad, y están en primer lugar antes que Dios. Y Dios tiene que sacudir esos fundamentos para poderlos llevar al cumplimiento de su destino y a niveles mayores de su gloria. Y ésta no es la obra del diablo, sino la obra de Dios, y es por amor a nosotros.

En una ocasión, regresando de una fuerte batalla, una de mis principales guerreras resultó con cáncer en la matriz. Ella tuvo un marido que la traicionó y le produjo fuertes heridas en su corazón. Aunque ella, conscientemente, lo había perdonado, la enfermedad la llevó a buscar con denuedo dentro de su corazón, a fin de vencer el cáncer.

Durante su proceso de sanidad, Dios la llevó a profundidades inimaginables de su alma, donde pudo, además de perdonar de raíz, sanar toda dolencia en su interior que estaba arraigada con su vida sexual, a causa de su ex-marido (con su matriz). Ella no sólo venció la enfermedad, sino que salió de la prueba con un corazón poderoso para enfrentar grandes batallas.

Hoy, tiene un poderoso ministerio ayudando a cientos de personas atadas por la drogadicción, la hechicería y el vandalismo. Una mujer de gran valor, que fue expuesta a la gloria y salió resplandeciente.

Gracias a esa "horrenda y maravillosa a la vez, purificación", es que conseguimos los rangos para pelear en lugares celestiales. La autoridad no es solamente una posición teológica de la victoria de Cristo, sino que se forja y se obtiene por fuego.

No hay momento más glorioso que cuando Dios te toma de la mano y te dice:

"ven, siéntate conmigo en mi trono, como yo también he vencido y me he sentado con mi Padre en su trono". Apocalipsis 3.21

Dios concede esta presea a los que vencen, a los que salen de la tibieza y del conformismo de una iglesia como la de Laodisea.

La iglesia está clamando para que Dios se manifieste y traiga juicio y destrucción sobre sus enemigos, y de cierto Él vendrá y establecerá su justicia en las naciones. Pero primero tiene que someternos al fuego de su gloria.

"Yo envío mi mensajero para que prepare el camino delante de mí. Y vendrá súbitamente a su Templo el Señor a quien vosotros buscáis y el ángel del pacto, a quien deseáis vosotros, ya viene», ha dicho Jehová de los ejércitos. ¿Pero quién podrá soportar el tiempo de su venida? O ¿quién podrá estar en pie cuando él se manifieste? Porque él es como fuego purificador y como jabón de lavadores. Él se sentará para afinar y limpiar la plata: limpiará a los hijos de Leví, los afinará como a oro y como a plata, y traerán a Jehová ofrenda en justicia. Entonces será grata a Jehová la ofrenda de Judá y de Jerusalén, como en los

días pasados, como en los años antiguos. «Vendré
a vosotros para juicio, y testificaré sin vacilar
contra los hechiceros y adúlteros, contra los que
juran falsamente; contra los que defraudan en
su salario al jornalero, a la viuda y al huérfano,
contra los que hacen injusticia al extranjero, sin
tener temor de mí», dice Jehová de los ejércitos".
Malaquías 3.15

2. ¿Puede realmente el diablo contraatacar una pelea vencida por Dios?

En párrafos anteriores, establecí la premisa de que el diablo no puede contraatacar una batalla que ha sido vencida por Dios. Por todos lados, donde voy siempre, me encuentro con la pregunta: Si hacemos la guerra, ¿cómo nos defendemos de un contraataque?

Si estudiamos este asunto a profundidad en la Biblia, la cual es el ancla de nuestros fundamentos, veremos que no hay una sola batalla, en la que Dios haya dado la victoria sobre sus enemigos, y que el adversario se levante y contraataque.

La victoria siempre se obtuvo cuando:

• Dios habló a sus profetas que Él entregaba a sus enemigos en manos de Su ejército.

172 Dra. Ana Méndez Ferrell

• Cuando el pueblo estaba en santidad y en obediencia con Dios. Cada vez que Dios vencía en la guerra, el enemigo quedaba derrotado y aplastado. No era como en las películas de terror de hoy, en que al asesino lo matan un sinnúmero de veces y siempre se vuelve a levantar, como si nada le hubiese pasado.

Esto, afortunadamente, se trata nada más de las mentiras de Hollywood, pero en el mundo espiritual, no es así. Cuando Dios gana la batalla, vence rotundamente.

Es igual que en el mundo natural. Cuando una guerra es ganada, el ejército perdedor queda en embargo o en total derrota. Analice la historia. Esto no significa que en el futuro no se levantarán nuevas guerras; serán otros conflictos militares, con otras condiciones y con otros pueblos en conflicto.

Las guerras que el ejército de Israel perdió en la Biblia se debieron a varias causas.

a) Pelearon en sus fuerzas; es decir, sin consultar a Jehová.

b) Dios anunció de antemano la derrota, y éstos fueron juicios contra Israel.

c) Hubo desobediencia en medio de la guerra, y Dios se apartó.

d) Y en un sólo caso, el enemigo sacrificó a su primogénito, e Israel simplemente se retiró de la batalla sin que hubiera bajas en su ejército. Refiérase a 2 Reyes 3.

3. Ataques durante el Conflicto

Definitivamente, creo que cuando se pelea inmerso en la gloria de Dios y se vence, el diablo no puede contraatacar. Ahora bien, el caso es diferente durante la batalla o en los preparativos de ésta.

En mi experiencia, en innumerables batallas, he visto que el diablo ataca antes de la guerra. Él va a hacer cualquier cosa para persuadirnos que no debemos enfrentar el combate. Éste es el momento en que aún la gloria no se ha manifestado, todo está en preparativos, y es ahí donde empieza a enviar sus dardos.

De hecho, humanamente, la parte más difícil muchas veces, son las luchas antes de la guerra. Una vez que Dios y sus ángeles entran en el combate en sí, es una experiencia maravillosa. A veces, desde luego es extenuante, de impresionante resistencia y valor, pero siempre gloriosa.

Una vez empezada la guerra y hasta que ésta termine, es posible estar bajo intenso ataque. Pero creo, que si permanecemos inmersos en Jesús y en el resplandor de su gloria no seremos tocados. En otras guerras, la gloria se manifiesta tan poderosamente, que los enemigos se acaban unos contra otros y nosotros nada más glorificamos a Dios. Lo primero que hay que vencer es la batalla de la fe y de la resistencia. Es en esta etapa, que Dios va a preparar verdaderamente a su ejército. Estaremos en un trato directo de Dios, en el que el Señor nos pule y nos pone en posiciones de autoridad para poder vencer cuando la guerra requiera de toda la armadura y de todo el poder de Dios en nosotros.

Es como que Dios nos metiera en un campamento de alto nivel de adiestramiento militar, donde el que no pase las pruebas de adiestramiento, menos estará listo para la batalla.

Cuando adiestrábamos para subir el Monte Everest, no sólo se trataba de prácticas de alpinismo y buena condición física, sino de una batalla agotadora, y mantenernos en la fe de que Dios nos daría el dinero necesario para la expedición, la cual costaba cientos de miles de dólares.

Es fácil que la gente ayude si se está promoviendo una campaña evangelística, pero para subir una montaña, no era lo mismo. Se necesitaba una fe muy grande. A eso, se añadía una enfermedad que el diablo me envió al corazón, y con la cual tuve que escalar 13 montañas durante nuestro adiestramiento. Espíritus de todo tipo nos acosaban tratando de hacernos desistir. Se me levantó una ola terrible de oposición dentro del cuerpo de Cristo que, afortunadamente, Dios aplacó. La verdad es que cuando finalmente llegamos a Nepal para empezar la batalla, estábamos ya listos para creer cualquier tipo de milagro. Nuestra fe era ya inquebrantable, y así pudimos hacerle frente a todos los embates de la guerra.

Los "Chods", que son los brujos más terribles de la tierra, según las investigaciones de George Otis Jr., se aparecieron varias veces en los glaciares donde acampábamos para tratar de matarnos, pero no pudieron tocarnos.

Uno de nuestros guerreros fue víctima de un edema cerebral (agua en el cerebro) cuando llegamos al campamento base, a 5,800 metros de altura. Luchamos toda la noche para salvar su vida mientras permanecía en una cámara hiperbárica de alta montaña. El poder de Dios se manifestó y salió victorioso, aunque tuvo que descender inmediatamente al campamento de intercesión que dirigía Doris Wagner y que estaba a 4,000 metros.

Antes de llegar a donde se encontraba el trono de las tinieblas, que era nuestro objetivo, el diablo nos envió un terrible ataque de muerte. Una avalancha directa hacia nosotros en la que se vino abajo medio monte. Allí, la mano del Señor se manifestó asombrosamente. Se abrió una grieta de hielo en el suelo delante de nosotros y se tragó la avalancha, sin que ésta nos tocara ni un pelo. ¡Alabado sea el Señor! Puedo narrar tantos detalles de ataques del maligno, y cómo el poder de Jesús uno a uno los deshizo, que sería un libro entero. Lo que quiero decir es que la guerra implica: fe, resistencia, entendimiento, santidad, mucho valor y una entrega hasta la muerte.

Cuando se ven los resultados, que no siempre son inmediatos, no hay nada más gratificante que ver ciudades enteras recibiendo el evangelio, avivamientos y la gloria de Dios manifestándose en los lugares más sombríos de la tierra.

4. Hemos peleado en las Regiones Celestes, y hemos vencido.

Definitivamente, Dios está llamando a sus escogidos y fieles a pelear con Él las grandes batallas del fin de los tiempos para ver liberadas las naciones. Nosotros hemos peleado y hemos vencido. La guerra es real, es peligrosa, pero por la libertad de los cautivos, vale la pena pelearla.

No es necesario ser perfecto e hipermaduro en asuntos de milicia espiritual. Para participar en una batalla de este nivel, es necesario hacerla en el orden y en los requerimientos de los que hablo en este libro. Bajo una cobertura correcta y una estrategia correcta, la gracia de Dios suplirá sus carencias y lo irá perfeccionando hasta hacerlo un gran guerrero.

Los verdaderos valientes de Jehová, los consagrados para su gloria, como Él los llama en Isaías 13, son gente muy especial en el corazón de Dios. Pelear para la suprema Majestad del universo y al lado de Él, es uno de los privilegios más grandes a los que podemos aspirar.

Los soldados de Dios, aquellos a quien Él puede pedir cualquier cosa a cualquier precio, son la verdadera esposa del Cordero, y tiene grandes galardones para ellos. La profunda comunión con Él y nuestra constante adoración son relevantes en nuestra formación y desenvolvimiento como el ejército de Dios. Yo quiero exhortar a todos los valientes de Dios, a aquellos cuyas prioridades no están arraigadas en las comodidades y bienes de este mundo, sino en Dios, que levantemos juntos la bandera de sus ejércitos, y ayudemos a adiestrar a miles de soldados que nos están esperando.

Los verdaderos guerreros están en todo el mundo, quizás desapercibidos en medio de una iglesia, pero su corazón está latiendo por ver la liberación de los pueblos y está esperando ver y oír a personas llenas de valor y de verdad, que sean modelos a seguir, para levantarse ellos también. Apaguemos las olas de temor, que amedrentan a los hijos de Dios, y enseñemos a la Iglesia el verdadero poder de su Dios infalible.

"Porque no nos ha dado Dios espíritu de cobardía, sino de poder, de amor y de dominio propio".

2 Timoteo 1.7

Adiestramiento

Recomiendo para su adiestramiento que estudie los libros de autores de gran entendimiento en este tema. Yo misma tengo un libro que es usado en muchos institutos bíblicos para enseñar guerra espiritual llamado: "Los Cielos serán Conmovidos", publicado por "Casa Creación". También le recomiendo mi libros "Regiones de Cautividad", "La Iniquidad" y "El Oscuro Secreto de G.A.D.U".

También hemos realizado documentales de guerras espirituales y territoriales que le ayudarán enormemente a conocer cómo se ejecuta una guerra espiritual en la práctica. Además, hemos elaborado series de enseñanzas en video y en audio con el fin de dar entrenamiento en esta área.

Para animarlo en este camino, recomiendo toda la colección de libros de Guerra Espiritual de C. Peter Wagner, publicados por "Regal Publications", y también, los de Cindy Jacobs, en especial: "Conquistemos las Puertas del Enemigo". Además, recomiendo los libros de Héctor Torres, como: "Derribemos fortalezas".

Otros libros recomendados

La Revelación del mundo espiritual, la forma más poderosa de ser liberado.

Una investigación que descubre todas las mentiras y horrores cometidas por la Masonería y te ayuda a ser libre.

Esta versión revisada y aumentada te entrega nuevas revelaciones y entendimiento sobre cómo reinar y establecer diseños celestiales.

Descubre cómo vivir en Salud Divina entendiendo cómo opera los fármacología en tu salud.

www.AnaMendezFerrell.com

Ana Méndez Ferrell, Inc.

Visita nuestro nuevo sitio

www.AnaMendezFerrell.com

Escribe a: Ana Méndez Ferrell, Inc.
P. O. Box 141
Ponte Vedra, FL 32004-0141
Estados Unidos de América

Email: store@anamendezferrell.com

Encuéntranos en **FACEBOOK** o síguenos en **TWITTER**

www.facebook.com/AnaMendezFerrell-ES

www.twitter.com/AnaMendezF.

Notas

Notas

1